MA MÈRE DU NORD

Jean-Louis Fournier est l'auteur chez Stock d'une série de récits personnels dont la plupart ont connu un grand succès critique et public : *Il a jamais tué personne, mon papa, Où on va papa ?* (prix Femina 2008), *Poète et paysan, Veuf, La Servante du Seigneur.*

JEAN-LOUIS FOURNIER

Ma mère du Nord

STOCK

© Éditions Stock, 2015.
ISBN : 978-2-253-04550-2 – 1re publication LGF

« Homme libre, toujours tu chériras la mer ! »

Charles BAUDELAIRE

1. Bertolt Brecht (1898-1956), *Mère Courage et ses enfants*, 1941.

J'ai d'abord failli appeler mon livre «La mère est froide», puis j'ai eu des remords. Elle n'était pas seulement ça.

Dans ses dernières volontés, elle a écrit un petit mot pour nous, ses enfants : «Je veux vous dire en vous quittant que vous avez été l'essentiel de ma vie et que les joies ont dominé les peines.»

Elle était froide seulement à l'oral.

J'aurais pu l'appeler «Mère courage», mais c'était déjà pris[1]. Et puis je ne veux pas d'histoires avec les Allemands.

---

1. Bertolt Brecht (1898-1956), *Mère Courage et ses enfants*, 1939.

Dans mes livres, j'ai donné des nouvelles de ma famille. De mon père, il n'a jamais tué personne. De la mère de mes enfants, pour qui le poète est devenu paysan. De mes deux garçons, maintenant ils savent où on va papa. De ma femme, qui m'a laissé veuf inconsolable, et de ma fille, devenue la servante du Seigneur.

Pas de nouvelles de ma mère. Elle est la seule que je n'ai pas encore eue dans mon collimateur.

Pourquoi maintenant ? Parce que je suis vieux. C'est toujours chez leur mère que se réfugient les gangsters après leur dernier coup.

Surtout, je voulais garder le meilleur pour la fin.

Ma mère était réservée et discrète. Elle n'aimait pas parler d'elle ni qu'on parle d'elle. Elle n'a jamais eu un rôle-titre, pourquoi serait-elle devenue le titre d'un livre ?

Dans sa famille, le rôle-titre, c'était sa mère ; dans son ménage, c'était mon père ; après la mort de mon père, ça a été un peu moi. J'étais l'aîné, pas le cadet de ses soucis, mais peut-être son préféré.

Elle a toujours laissé passer les autres devant. Aujourd'hui, je lui donne la place d'honneur, je la mets devant. Je vais lui écrire un livre dont elle sera l'héroïne.

« Une héroïne est une jeune fille avec qui il est agréable de vivre dans un livre[1]. »

---

1. Mark Twain (1835-1910), écrivain américain.

J'ai retrouvé une ancienne photo de toi.

Tu as à peine vingt ans, tu es superbe.

Je t'aurais connue à cette époque, je crois que je serais tombé amoureux et que je t'aurais fait une déclaration. J'ai toujours aimé les jeunes filles distinguées, minces, réservées, discrètes, au regard intelligent, tendre et vif à la fois.

Quitte à me brûler les doigts, je t'aurais écrit avec un tison de braises une lettre enflammée.

J'ai bêché le sol durci de mon passé, j'ai fait des fouilles, j'ai déterré des souvenirs. Je grappille des témoignages, j'ai rencontré ses vieilles amies un peu amnésiques, elles ne se souviennent plus très bien, elles confondent. Je me retrouve avec des lambeaux de souvenirs, des photos et des témoignages décolorés par la lumière du temps. J'essaie de reconstituer le puzzle. Mon cerveau est comme un gruyère plein de trous, j'appelle mes frères et sœur pour m'aider à les boucher.

Au fil des pages, ma mère commence à revivre. Je la revois dans la rue de la Paix, revenant du bureau, partant faire ses courses. Et moi qui l'attends, toujours inquiet.

Paix, quel nom étrange pour une rue qui a connu tellement de combats.

Avant, il y avait des pavés rue de la Paix.

C'est une fin de repas, rue de la Paix. Ils sont trois autour de la table, habillés en noir, sauf ma mère, elle est en blanc. Elle a un grand nœud dans les cheveux, elle doit avoir dix ans.

Le papier peint, avec ses fleurs fanées, est d'époque, les meubles sont Henri II. Son père et sa mère, raides et dignes, sont d'époque. L'horloge est arrêtée. La scène dégage un vrai charme, le charme du passé.

On dirait un tableau de Vuillard.

Ils sont sérieux, pas elle. Elle a un petit sourire filou. Elle ne se sent pas à sa place, elle a l'air de s'ennuyer dans le passé. Elle doit entendre, dehors, les enfants qui s'amusent et le bruit du présent.

Elle voudrait bien aller les rejoindre.

Elle voudrait sortir du tableau.

Ma mère s'appelait Marie-Thérèse ; Marie comme la Vierge, Thérèse comme la petite sainte de Lisieux qui passait sa wassingue sur le carrelage du couvent en priant Dieu.

Élevée dans l'encens et l'odeur de sainteté, elle n'a pas eu une jeunesse folichonne, elle ne devait pas rire tous les jours dans sa famille.

Sa mère s'appelait Delphine, nous l'appelions «bonne-maman d'Arras». Elle était austère, pas très rigolote, plutôt bigote, un peu froide et pas conductrice de la chaleur. Notre père, qui n'est pas aux cieux, quand il était fatigué, la traitait de grenouille de bénitier et lui disait d'aller coucher avec ses chanoines.

Bonne-maman adorait les bonnes sœurs. Il y en avait souvent à la maison. Quand elle les recevait, elle retournait vers le mur la statuette en bronze qui était dans le salon. Le Manneken-Pis ne devait pas montrer son zizi.

Bonne-maman avait un directeur de conscience, il s'appelait le chanoine Vittel. C'était de l'eau plate.

Il était tout blanc comme une hostie, ses cheveux, son visage. Sa voix aussi était blanche. Il parlait doucement, il avait l'air d'un saint, comme s'il était déjà au ciel. Quelquefois, quand bonne-maman était souffrante, il lui livrait à domicile le saint sacrement. Il avait Jésus à la ceinture, il le portait dans un sac banane brodé de fil d'or. Quand on le croisait dans la maison, on devait se mettre à genoux, joindre les mains, baisser la tête.

Pas question de regarder Dieu dans les yeux.

Elle a une robe blanche, un voile et une couronne de roses blanches sur la tête, comme une mariée. Elle est en communiante. Elle aurait pu ressembler à une gravure saint-sulpicienne. Non, elle n'a pas les yeux au ciel comme la sainte Thérèse en extase. Elle regarde bien en face, l'appareil, pas impressionnée. Elle semble étonnée d'être là, déguisée.

Elle est là, mais pas tout à fait, elle est déjà un peu ailleurs.

Dix ans plus tard, elle sera en mariée.

Ce sera plus grave.

Avec Dieu, elle était sous le régime de la séparation de biens.

Le père de ma mère s'appelait Camille Delcourt. Notre grand-mère était sa seconde femme. La première était morte, elle s'appelait Flore. C'était la sœur de notre grand-mère. Il avait épousé sa belle-sœur pour rester dans la famille. Il était conducteur de locomotive à vapeur. Sa fille l'adorait. Il était gentil. Il avait une moustache, comme tous les hommes à l'époque. Quand on tirait sur sa moustache, il riait.

Je garde le souvenir du jour où il est venu à vélo, d'Arras à Mareuil, pour nous voir. Il avait un gros paquet sur son porte-bagages, un cadeau pour nous. C'étaient des tambours. Maman a été en colère contre lui. Elle aimait le silence.

Ma mère était un peu une fille de vieux. Ses parents avaient quarante et quarante-deux ans quand elle est née, c'était vieux à l'époque. Elle avait deux demi-frères plus âgés qu'elle, Roger et Maurice. Elle a eu une enfance de fille unique. C'était une gamine sérieuse et gaie, elle avait des très bonnes notes en classe, elle était curieuse, elle aimait les arts. Elle peignait des aquarelles, elle aimait la musique et elle lisait. Elle dévorait Mauriac, Maxence Van der Meersch, Péguy, Verlaine, Bernanos.

Surtout, elle rêvait.

Elle est dans le jardin de la maison de la rue de la Paix, elle doit avoir dix-huit ans.

Elle a dans les bras un chat noir, je crois qu'il s'appelait Pompon. Comme le grand sculpteur animalier, François Pompon.

Elle le caresse, elle le tient comme un bébé, elle le regarde avec tendresse.

Quatre ans plus tard, à la place du chat, il y aura moi.

Ma mère a fait des études de lettres à la Catho, la faculté de Lille. À dix-huit ans, elle était devenue une belle jeune fille. Elle se préparait une belle vie.

Elle a obtenu une licence en lettres et un poste de professeur de français.

La photo a dû être prise dans la cour de l'école, pendant la récréation. Nous sommes à Lens, à l'institution Sainte-Ide où ma mère donne des cours de français.

Son visage émerge au-dessus d'une nuée de filles qui font des grimaces au photographe. Elle a l'air recueilli, les yeux mi-clos, avec un sourire extatique. On dirait qu'elle va s'envoler. Mince, fragile et légère comme un archange de Puvis de Chavannes[1].

1. Puvis de Chavannes (1824-1898), peintre français.

Pour Pas-de-Calais,
vents variables,
la mer sera belle

Ma mère allait rencontrer un garçon charmant, elle allait avoir des enfants, elle allait être heureuse. Elle a rencontré un étudiant en lettres très sérieux, il s'appelait Henri. Il s'est intéressé à elle, elle s'est intéressée à lui. C'était un charmant garçon, ils allaient avoir des enfants, elle allait être heureuse. Mais quand celui qui allait être notre père est arrivé comme une bourrasque, ma mère n'a pas résisté. Le petit étudiant en lettres a été balayé.

La bourrasque s'appelait Paul. Il était médecin, il était rassurant, séduisant, jovial, noceur.

Ma mère est tombée sous le charme.

Il l'a fait chavirer.

Elle a une robe en organdi, fine. Elle est dans ses bras, blottie, radieuse. Elle est heureuse. Il ne peut rien lui arriver, il est là. Il est en uniforme, il est adjudant médecin, il va la défendre. Il a un geste tendre vers son visage.

À leurs pieds, il y a des corbeilles de fleurs. Leurs deux têtes se détachent sur un gros bouquet d'hortensias. Ils sont dans le petit jardin de la maison de la rue de la Paix, devant la véranda.

On imagine, hors champ, les parents en noir, émus. Même bonne-maman d'Arras a une petite larme qui brille dans ses rides.

Ça doit être le jour de leurs fiançailles.

On peut parier sans risque sur leur bonheur.

Mon père a dédié à sa fiancée sa première œuvre.

Ce n'était pas du Verlaine, ce n'était pas un poème, il n'y avait pas de rimes.

Ça s'intitulait *Torsion du pédicule de la rate en position ectopique.*

C'était sa thèse de doctorat en médecine.

La fiancée a été très impressionnée.

Elle a une robe blanche, simple, ses cheveux châtains sont courts, légèrement frisés.

Elle a une mantille blanche sur la tête.

Elle est très jeune.

Dans ses bras, une guirlande de fleurs qui descend jusqu'au sol.

Elle est sérieuse mais pas triste.

Elle regarde devant elle l'horizon, peut-être avec une vague inquiétude.

À côté d'elle, un jeune homme élégant. Il est en habit noir, il a des gants blancs, un nœud papillon. Il a de l'aplomb, on le sent sûr de lui, bien dans sa peau. Lui aussi regarde l'horizon, mais en conquérant.

Ce jour-là, ma mère a été embrassée, félicitée.

Vive la mariée.

Ils se sont mariés.

Ma mère était heureuse, terriblement amoureuse.

Mon père aurait certainement pu être un parfait médecin sans frontières, parcourant le monde, des copains et des bistrots dans chaque port.

Jamais un notable de province.

Marié, il s'est retrouvé enfermé dans les frontières étroites d'un cabinet médical dans le Pas-de-Calais. Rapidement, il a étouffé dans son costume de père de famille.

Il a eu envie de desserrer sa cravate.

Pour respirer.

Le jeune ménage s'est installé à Calais. C'est là que je suis né, face à l'Angleterre. J'ai longtemps cru que j'étais anglais. J'imaginais qu'on m'avait noyé dans la Tamise, j'étais ressorti trempé de la mer du Nord, une mer souvent grise.

Ma mère se retrouve maîtresse de maison sans rien savoir. Elle doit organiser des dîners. Comme elle a appris la cuisine dans des anthologies de poésie, elle improvise. Une fois, elle a voulu faire pour ses invités une recette traditionnelle du Nord, des croquettes de pommes de terre. Elle est restée très longtemps dans la cuisine avant d'apporter le plat. Mon père s'est levé de table pour aller voir. Il l'a découverte en larmes devant sa bassine à frire. La purée, au lieu de rester en croquettes, se dispersait dans la friture en gouttelettes qui frétillaient comme des têtards. Plus elle pleurait, plus les têtards se multipliaient. C'était imprésentable et immangeable.

Ma mère était catastrophée.

Notre père a été à la hauteur. Il l'a consolée tendrement et a entrepris de rattraper la situation en réchauffant la purée au four.

À cette époque, il essayait de sécher ses larmes.

Rapidement, mon père s'est éloigné de la mer pour s'enfoncer dans les terres. Après ma naissance, nous avons quitté Calais pour l'Artois. Il est devenu un médecin de campagne. Le médecin à qui on offre un verre qu'il ne refuse jamais, et une livre de beurre jaune comme un lingot d'or; c'était la guerre.

Le docteur terminait tard ses visites, il rentrait dans un état étrange. Il était trop gai, il disait des bêtises. Il vomissait parfois. Ma mère, qui avait appris la vie dans les romans, était inquiète, elle craignait qu'il soit malade.

Personne n'osait lui dire la vérité. Un jour, une amie à qui elle confiait ses inquiétudes lui a dit la vérité: son mari était alcoolique. Ma mère ne savait pas très bien ce que c'était. Elle n'en avait peut-être jamais rencontré, ou seulement croisé dans les romans de Zola ou de Maxence Van der Meersch. Chez elle, son père buvait un verre de vin le dimanche.

Plus tard, elle apprendrait que son mari buvait déjà avant son mariage. Fils exemplaire d'une mère veuve, il n'avait pas connu son père, mort à la guerre. Étudiant modèle, il avait, une fois son diplôme en poche, décidé de faire la bringue. Il l'a faite, consciencieusement. Il a commencé à boire.

Beaucoup le savaient, notamment ses anciens professeurs du petit séminaire, des prêtres, mais ils n'osaient pas le dire, ils se contentaient de prier pour lui. L'un d'eux, le chanoine Deseille, avec la complicité de ma grand-mère, avait même favorisé sa rencontre avec ma mère. Il pensait qu'une jeune fille de bonne moralité et catholique pouvait, avec l'aide de Dieu, remettre dans le droit chemin le jeune homme turbulent.

C'était confier à ma mère une tâche bien au-delà de ses forces.

On lui faisait là un terrible cadeau.

Elle avait vingt ans.

Cinq ans après, avec deux nouveaux enfants, Yves-Marie et Bernard, notre père s'installait définitivement à Arras, dans la maison de bonne-maman, au 21, rue de la Paix.

C'était une maison ancienne, peut-être du XVIIIe, en pierre et brique, une maison bourgeoise avec un charmant petit jardin, un bassin, une tonnelle, un énorme rosier et un vieux cerisier rempli de merles. Elle était grande, quinze pièces, soit quinze crucifix.

Bonne-maman tenait à ce qu'on n'oublie pas qu'elle était chez elle. Elle s'était gardé deux pièces au premier étage où elle vivait avec sa sœur, la douce tante Julie, ancienne institutrice et vieille fille délicieuse et généreuse, dont la retraite servira souvent à subventionner la famille Fournier. À la fin de sa vie, mon père lui écrira : « Que serions-nous devenus sans vous, j'ai peur d'y penser. »

On a transformé le salon en cabinet médical. On a mis un bureau, une bibliothèque, avec dessus un buste de satyre et *Moïse* de Michel-Ange en plâtre.

À côté du piano, une table d'opération. Hippocrate remplaçait Chopin.

Une petite pièce à l'entrée est devenue la salle d'attente, on y a mis des chaises et une table basse où on a posé des vieux *Paris Match*.

Sur la porte d'entrée de la maison, on a vissé une plaque de cuivre gravée :

Docteur Paul FOURNIER
Ex-externe des hôpitaux
Lauréat de la Faculté
Consultations de 9 h à 12 h

À vingt-huit ans, ma mère revenait dans la maison de son enfance avec ses trois enfants, Jean-Louis, Yves-Marie et Bernard, six, cinq et deux ans, pas sages comme des images, et son impossible mari.

Elle retrouvait une mère toujours autoritaire.

Elle allait affronter de terribles tempêtes.

Grand frais en cours
sur Pas-de-Calais

Récemment, mon frère Yves-Marie a fait une découverte étonnante. En 1869, dans la maison du 21, rue de la Paix, aurait habité le poète Paul Verlaine. Il y aurait mené une existence crapuleuse.

Mon père s'appelait Paul, comme Verlaine.

Mon père buvait, comme Verlaine. Le Byrrh avait remplacé l'absinthe.

Ma mère adorait Verlaine et le faisait étudier à ses élèves. J'ai retrouvé son cahier où elle avait recopié ses poèmes.

Dans cette maison, elle a dû entendre l'écho des sanglots longs des violons de l'automne, et elle a attrapé la mélancolie.

Peu de temps après leur installation rue de la Paix, notre père a décidé d'inviter notre mère à dîner au restaurant pour fêter leur anniversaire de mariage.

Ils étaient mariés depuis huit ans. J'avais sept ans.

Maman s'était préparée longuement dans sa chambre.

Nous, les enfants, on avait dîné avec bonne-maman. Il y avait des salsifis et du jambon.

Maman était descendue. Elle était très belle, elle avait une robe en soie bleue qui brillait, on était fiers.

Bonne-maman a trouvé la robe trop décolletée. Maman a promis de mettre un cache-cœur.

Quand on a eu fini de dîner, on est allés dire bonsoir à maman. Elle était installée dans le salon, avec un livre, et une cigarette pour faire moderne. Elle attendait papa. En l'embrassant, j'ai senti le parfum de sa Craven.

On est montés se coucher, on avait le droit de lire dans notre lit. Moi je lisais *Tintin en Amérique*.

Je me suis réveillé, je m'étais endormi sur mon livre. Il devait être tard, la maison était silencieuse.

J'entendais un pas dans l'escalier.

C'était maman, elle montait, toute seule.

J'ai eu l'impression qu'elle pleurait.

Ma mère est dans une forêt, debout devant un grand arbre, comme un soldat au garde-à-vous. Il n'y a personne autour d'elle. Elle se tient bien droite au milieu de la photo, elle a un bras derrière le dos et un autre qui pend le long de son corps.

Étrange photo. Je ne sais pas qui l'a prise.

S'il fallait lui donner un titre comme à un tableau, on l'appellerait Femme seule dans une forêt.

On ressent plus la solitude que la forêt.

Petit, j'aimais bien faire le clown. J'adorais faire rire ma mère. Je faisais des sketches muets, des pantomimes. Mon numéro principal était la demande en mariage.

Je me déguisais en 1900, genre Charlot. Je mettais un canotier et je demandais tante Julie en mariage. Je dansais autour d'elle, je faisais des révérences, je lui faisais les yeux doux, je lui baisais la main. Parfois, elle m'accordait sa main.

Ça faisait beaucoup rire ma mère et j'étais heureux de la voir rire.

Le mot « mariage » n'était pourtant pas un mot qui aurait dû la faire rire.

«Je me souviens que, quand elle entendait ou employait le mot "gai", elle disait toujours "gai gai, marions-nous" mais sur un ton pas gai du tout.»

Anne, sa petite-fille.

Ma mère était fière de son mari. Il était beau, il était costaud, il était rassurant, il n'avait peur de rien. Il la rassurait, elle, la fragile jeune fille romantique qui aimait Chopin et avait peur de tout. Il la faisait rire.

C'était un excellent médecin, adoré de ses clients. Il y en a un qui m'a dit un jour : « Ton père, on voulait guérir pour lui faire plaisir. »

Ma mère avait pour mon père les yeux de ses clients. Elle a cru qu'il allait l'empêcher de mourir, elle aussi. Le contraire est arrivé, il l'a presque tuée.

Ma mère a eu honte de son mari.

Elle voulait donner l'image d'un couple comme les autres. C'était difficile. Mon père n'était pas comme les autres.

Quand il leur arrivait d'être invités chez des amis, que mon père rentrait saoul à la maison, elle essayait de le dégriser avec du café très noir. Ce n'était pas suffisant, il restait gris.

Dans la rue, malgré les efforts de ma mère, il ne marchait pas droit. Elle n'arrivait pas à l'empêcher de tanguer, il était plus lourd, c'était lui qui la faisait tanguer.

J'ai encore le souvenir ému de leur couple titubant.

« Tu sais, disait-elle avec un regard très triste, quand il est bien, tu ne peux pas savoir comme il est gentil. On aurait pu être si heureux… »

Ma mère suivait nos études. Mon frère Yves-Marie lui donnait beaucoup de satisfactions, moi c'était une autre histoire. À mon frère Yves-Marie, en parlant de notre mère, on disait «ta chère mère». À moi, on disait «ta pauvre mère».

À l'école, les parents, c'était ma mère. Notre père avait dû oublier qu'il avait des enfants. Elle était veuve en pire.

Chaque semaine, elle signait nos carnets de notes et pour moi, en plus, un billet de retenue.

Je me souviens de la première fois. Je n'osais pas le lui faire signer. J'avais trouvé une idée. J'avais pris le billet, je l'avais plié consciencieusement pour cacher le texte et ne garder visible que le petit carré blanc où elle devait signer, et je lui avais demandé «Montre comment tu signes».

Elle avait signé sans poser de questions.

Ma mère était naïve. Elle ne pensait jamais à mal. On aurait pu lui faire signer n'importe quoi, même un gros chèque.

Chaque jour, après le dîner, il y avait, dans la cuisine, la prière du soir. Toute la famille était là, sauf notre père qui êtes au bistrot. On retournait les chaises, on se mettait à genoux devant, comme sur des prie-Dieu, on éteignait la lumière et on priait, ou on faisait semblant.

Bonne-maman officiait. Elle commençait par le *Notre Père*, puis le *Je vous salue Marie*, le *Confiteor*, l'*Acte de contrition* et le *Souvenez-vous* qui était une prière à la Sainte Vierge.

Comme on était dans le noir, on en profitait. On gloussait, on couinait, on poussait des cris d'animaux, on se pinçait, on se piquait les fesses avec des épingles, on hurlait de rire. Bonne-maman se mettait en colère, nous promettait l'enfer si nous mourions dans la nuit.

Quelquefois, elle rallumait la lumière. Elle nous trouvait alors la tête dans les mains, les yeux fermés, soudainement recueillis.

Ma mère, à genoux devant sa chaise, avait déjà sa tête dans la nuit.

*Lune gibbeuse croissante,
ciel très nuageux
avec de courtes éclaircies*

Ma mère regarde la fumée qui monte dans le ciel, elle rêve.

Nous sommes dans le train, en troisième classe. Les banquettes sont en bois, le train est à vapeur, maman est à la fenêtre.

Nous revenons de chez Tonton Maurice à Raismes, nous rentrons à Arras.

Le train ralentit, il entre en gare.

On n'est pas à Arras.

Ma mère s'est trompée de train. Elle a le regard angoissé de Buster Keaton, mais on n'a pas envie de rire. Va-t-on trouver un train pour rentrer à Arras ?

Ma mère était distraite, trop de pensées se bousculaient dans sa tête. Elle était capable d'oublier un poulet dans le four, un fer à repasser sur une chemise, de secouer par la fenêtre la nappe avec des petites cuillers dedans et, dans les gares, de se tromper de train. Elle perdait souvent ses clés. Quand elle a eu un appartement avec un vide-ordures, elle y a souvent jeté des choses qui n'étaient pas à jeter. Elle était obligée de descendre au sous-sol pour fouiller dans les poubelles. Elle y a retrouvé plusieurs fois ses clés et, un jour, sa bague de fiançailles.

Elle l'avait peut-être jetée volontairement.

Petit, je vivais maladivement inquiet, dans l'angoisse de la mort et celle d'être orphelin.

Chaque fois que ma mère sortait de la maison, je vivais très mal l'attente de son retour. J'ai appris plus tard que Pierre Loti avait les mêmes inquiétudes, ça me l'a rendu encore plus attachant.

Pour moi, la pire chose qui puisse arriver à un enfant, c'était de perdre sa mère. Son père, c'était moins grave.

Quand ma mère était en retard, elle était forcément morte, et je voulais mourir.

Notre mère est morte plusieurs fois. On a été des orphelins intermittents.

Une piqûre d'épine de rose, c'était le tétanos ; une migraine, la tumeur au cerveau ; une grippe, la tuberculose.

Elle choisissait toujours des maladies mortelles, des maladies dont on ne pouvait pas guérir. Elle connaissait les symptômes, le temps d'incubation des virus.

Elle avait appris tout ça dans les livres de notre père.

Ma mère ne voulait pas n'importe quelle mort. Il lui fallait une mort romantique. La piqûre d'épine et le tétanos, c'était certainement un hommage au poète Rainer Maria Rilke[1].

Le tétanos, elle l'a eu plusieurs fois. Elle nous avait prévenus : après une piqûre à la main, on mourait treize jours plus tard ; au pied, c'était vingt et un jours.

_____

1. Rainer Maria Rilke (1875-1926), écrivain autrichien. Il serait mort à la suite d'une piqûre de rose.

Je me souviens de son premier tétanos. Elle s'était piquée au doigt. C'était un mardi. J'ai regardé mon agenda, j'ai compté treize jours, j'ai écrit «mort de maman». Ça tombait un dimanche.

Après plusieurs tétanos, j'ai arrêté de noter.

Elle aimait aussi la tuberculose. C'était à l'époque une maladie qui ne se soignait pas bien. Mon père avait des clients qui en mouraient. C'était, surtout, une maladie distinguée et émouvante. À l'époque romantique, on l'appelait la phtisie, la maladie de langueur; on mourait de consomption.

Maman rêvait de châteaux où des créatures évanescentes au teint cireux se consumaient comme des longues chandelles, et crachaient leurs poumons dans de délicats mouchoirs en dentelle.

Elle aurait aimé être du voyage, partir avec Marguerite Gautier aux accents de *La Traviata*.

Ma mère aimait la musique. À la maison, on avait un piano, je me souviens encore de la marque, c'était un Kriegelstein. Il était en bois clair, il avait des appliques en bronze pour mettre des bougies et éclairer la partition. Le tabouret était rond, recouvert de velours rouge. On s'amusait à le faire tourner très vite pour le monter ou le descendre.

Notre mère jouait très correctement, elle avait pris des leçons. Soixante ans plus tard, j'ai encore dans la tête son morceau favori, une valse de Brahms, la *Valse numéro 15 en la majeur*. Je l'ai retrouvée, elle dure une minute trente-six.

Une minute trente-six de bonheur. Le bonheur, ça ne dure jamais longtemps.

Un jour, mon père a voulu accompagner ma mère au violon. Il avait, quand il était petit, appris à jouer. Il en gardait quelques souvenirs et un petit violon d'étude.

Leur duo fut pathétique. Le violon grinçait et n'arrivait pas à suivre le piano. On avait l'impression qu'ils jouaient chacun un morceau différent.

Ma mère était morte de rire. Notre père, content de faire rire, en rajoutait dans les fausses notes.

Nous, on aimait mieux quand maman jouait toute seule, c'était bien plus beau.

Ils n'étaient pas faits pour s'accompagner, ni pour jouer ensemble.

Mon père faisait quelquefois des cadeaux bizarres à notre mère, je ne sais pas s'ils lui faisaient plaisir, en tout cas ils la faisaient rire. Une fois, il a rapporté des gants et du parfum. La bouteille de parfum était dorée et en forme de tour Eiffel, comme celle qu'on gagne dans les loteries à la foire. Le parfum sentait très fort. Notre mère a dit que c'était un parfum utile, il tuait les mouches.

Les gants étaient en cuir noir épais, avec une manchette qui arrivait presque au coude, et des grosses boucles chromées. C'étaient des gants de motard. Mon père a dit qu'ils étaient très solides, ses copains de la gendarmerie avaient les mêmes.

Ma mère ne les a jamais mis.

Une année, bonne-maman et tante Julie se sont cotisées pour offrir à ma mère un voyage à Rome.

Dans l'esprit de bonne-maman, c'était un pèlerinage. Nous sommes en 1950, c'est l'année sainte.

Maman était ravie, elle allait pouvoir visiter la ville.

Alors que bonne-maman l'imaginait recueillie, la tête couverte d'une mantille, en train de prier dans une église sombre, ma mère gambadait dans les musées et mangeait des glaces au soleil. On attendait avec impatience ses cartes postales pour les timbres.

Notre mère était croyante et pratiquante, mais avec modération. Elle devait se demander, parfois, pourquoi Dieu infiniment bon lui avait donné une vie infiniment difficile.

Quand elle parlait de Dieu, elle ajoutait toujours «s'Il existe…».

Ma mère, qui n'avait pas beaucoup d'argent, réussissait malgré tout à nous emmener au concert.

Elle aimait beaucoup Chopin, pas seulement à cause de sa tuberculose. Un jour on est allés ensemble à la salle de concert d'Arras écouter le pianiste Alfred Cortot.

À Aix-les-Bains, devant le lac du Bourget, j'ai entendu pour la première fois la *Septième Symphonie* de Beethoven. C'était le soir, on était entre chien et loup, le chef s'appelait Jean Fournet, l'orchestre Pasdeloup. Il y avait beaucoup de vent, les partitions s'envolaient dans la nuit vers le lac, comme des grandes mouettes. Je n'oublierai jamais les frissons que j'ai eus pendant l'allegretto.

Je me souviens d'un concert à Vichy. Il y avait des compositeurs dans la salle. Il y avait Henri Sauguet, on a joué son œuvre *Les Forains*. Il y avait aussi Henri Tomasi. J'étais très impressionné de voir des compositeurs vivants. Pour moi, un compositeur était toujours mort.

Ma mère nous emmenait aussi au cinéma. Je me souviens, un dimanche après-midi, j'avais douze ans. On faisait la queue pour voir *Prélude à la gloire* avec Roberto Benzi, le petit chef d'orchestre prodige.

Je regardais les mères de mes camarades. C'étaient des dames, elles étaient presque toutes plus grosses que ma mère. Ma mère était la plus belle, pourtant elle avait déjà trente-cinq ans. Elle portait une robe rouge avec des fleurs blanches, certainement des roses, « des roses blanches pour ma jolie maman… ».

Un jour, j'ai eu trente-cinq ans, j'ai trouvé ça étrange, j'avais l'âge de ma mère.

J'ai toujours eu un problème avec l'âge des gens. J'oublie que le temps ne fait que passer, il ne s'arrête pas, on le reconnaît seulement après, aux traces qu'il laisse.

Ma mère racontait que, le matin, quand il partait faire ses visites, notre père lui disait en l'embrassant : « Tu vois, j'ouvre cette porte, je suis très bien, et ce soir, comment ? »

Il savait à l'avance comment il serait.

Pas frais.

Pour nous, il y avait le papa du matin tout frais qu'on aimait et le papa du soir tout noir qu'on détestait. À la fin de sa vie, même le papa du matin n'était plus frais, il ne se rasait plus et il toussait.

Il savait qu'il ne résisterait pas à la bouteille de deux mètres de haut peinte sur le mur, qui célébrait sur le pignon d'une maison voisine les bienfaits du Byrrh : « Ce vin généreux au quinquina tonique et stimulant ; étendu d'eau ordinaire ou d'eau de Seltz bien fraîche, il constitue un rafraîchissant et un désaltérant de premier ordre. »

Paimpolaise anxieuse, ma mère attendait avec angoisse, chaque soir, le retour de son bateau ivre.

Quand il rentrait à la maison avec ses vingt Byrrh dans le coco, l'effet stimulant et tonique n'était pas évident. Il s'effondrait, marmonnant qu'il n'avait bu que de l'eau d'Évian.

J'ai bu un Byrrh récemment, à la santé de mon père. Je n'ai pas beaucoup aimé.

Peut-être que ça devient bon seulement au vingtième.

Notre mère avait trois garçons à élever.

Trois garçons qui mangeaient beaucoup et grandissaient beaucoup.

Elle ne pouvait pas compter sur notre père, il ne gagnait pas beaucoup d'argent. Quand ses malades ne pouvaient pas payer, il leur faisait quand même des feuilles de maladie. Les clients étaient bien contents, ils gagnaient de l'argent. Mon père, lui, en perdait, il payait des impôts. Malgré tout, il gardait dans ses poches des billets pour payer des Byrrh à ses copains.

Quelquefois, quand il dormait, maman lui faisait les poches.

Tante Julie nous aidait, mais notre mère n'osait pas trop lui demander. Elle faisait des «écritures» à la maison. La mairie lui confiait de gros rouleaux de papier, elle devait remplir des colonnes avec des noms et des chiffres. Elle aurait certainement préféré écrire des poèmes.

Notre père ne voulait pas que notre mère travaille. Une femme de médecin ne travaille pas. Alors, elle se cachait.

Un soir, il est rentré plus tôt que d'habitude, très fatigué. Il a vu les écritures sur la table de la salle à manger. Il s'est mis en colère. Il a jeté tous les papiers par la fenêtre et il est monté se coucher. On a dû aller les ramasser dans le jardin.

ou qu'elle regardait les gens d'un peu haut. Elle

Notre mère a décidé de trouver un travail à l'ex-
térieur. Elle est entrée à la préfecture comme rédac-
trice. Elle a dû passer un concours. Elle redevenait
étudiante, elle apprenait des matières nouvelles
comme le droit.

Un jour, mon père l'a surprise en train d'étudier.
Il a compris qu'elle préparait un concours. Pour une
fois, il a été très violent. Il l'a attrapée par les cheveux et l'a jetée dehors.

Elle a été reçue première. Notre mère devenait
fonctionnaire, et nous des fils de fonctionnaire.
C'était mieux que fils-de-docteur-qui-boit.

La préfecture était près de la maison de la rue de
la Paix. Elle allait travailler sans plaisir, sans déplai-
sir non plus, elle n'avait pas le choix. Au bureau, elle
était discrète. Sérieuse et consciencieuse, elle ne faisait pas de bruit, ne se liait avec personne. Elle avait
les yeux tournés vers l'intérieur. Elle ne regardait
pas le quotidien, elle regardait en l'air, ce qui pouvait laisser croire, à tort, qu'elle avait la tête en l'air.

Ou qu'elle regardait les gens d'un peu haut. Elle était juste timide et réservée.

Elle restera vingt ans à la préfecture. Elle finira chef de son service.

Quand notre mère a commencé à travailler au bureau, certaines bourgeoises ne lui ont plus dit bonjour.

Pourtant, c'étaient de bonnes catholiques. On les voyait au premier rang à la messe. Elles priaient, elles chantaient des cantiques qui disaient «Aimez-vous les uns les autres».

Nous, les enfants, nous n'étions pas toujours invités aux goûters de nos camarades et aux anniversaires, ni plus tard aux surprises-parties. Je me rappelle une soirée, organisée par les parents d'un de mes meilleurs amis, à laquelle je n'avais pas été convié. Pour me venger, j'avais envoyé des fausses invitations à tous les enfants modestes et les va-nu-pieds du quartier.

Quand notre mère avait besoin d'argent pour nous acheter des chaussures, elle en demandait à notre père. Il s'étonnait chaque fois qu'elle lui en réclame aussi souvent. Il devait penser que nos chaussures grandissaient en même temps que nos pieds.

Pourtant, ma mère faisait des économies.

Elle chaussait Yves-Marie avec mes chaussures, Bernard avec les chaussures d'Yves-Marie, j'étais le seul à avoir toujours des chaussures neuves.

Elle avait appris à réparer nos chaussures.

Elle avait acheté du matériel de cordonnier, un pied de fer qui est une petite enclume en fonte en forme de pied, des fers et des petits clous.

Elle nous mettait des fers comme on met aux chevaux. Ça faisait beaucoup de bruit quand on galopait sur les pavés de la rue de la Paix.

Elle aurait pu, sur sa carte de visite, après licenciée en lettres, ajouter cordonnière.

Sur mer du Nord,
une dépression secondaire
se creuse

Ma mère aurait bien aimé quitter son mari, mais on était à l'époque bénie où ça ne se faisait pas. Le divorce n'était pas encore un produit dérivé du mariage, c'était un péché mortel. On ne pouvait pas effacer ce que Dieu avait béni.

On ne pouvait pas briser les liens sacrés du mariage, disait bonne-maman. Si on était malheureuse, il fallait rester malheureuse jusqu'à la fin et remercier le bon Dieu.

Un soir, ma mère en a eu tellement assez de notre père qu'elle a décidé de l'empêcher de rentrer. Elle a fermé le verrou intérieur de la porte d'entrée de la maison.

Notre père est rentré tard. Quand il s'est aperçu que la porte était fermée de l'intérieur, il s'est assis sur les marches et il a frappé sur la porte avec sa pompe à vélo, longtemps, longtemps…

Le matin, notre père était dans sa chambre. Notre mère avait cédé, elle était allée lui ouvrir.

Notre mère a souvent cédé.

Tous les matins, j'entends dans sa chambre ma mère qui essaie de vomir. Ça lui arrive aussi dans la journée. J'ai peur qu'elle soit malade.

Un matin, ses nausées l'ont prise dans la cuisine. Elle a vu mon air inquiet, elle m'a rassuré. Elle m'a expliqué qu'elle n'était pas malade, au contraire, c'était normal. Elle avait le mal de mère.

Dans huit mois, j'allais avoir un petit frère ou une petite sœur. Elle m'a demandé si j'étais content, je n'allais pas dire non.

La nouvelle m'a remué. Nous allions ce jour-là déjeuner chez le cousin Jean, à vingt kilomètres d'Arras, à Hersin-Coupigny. Mes parents y allaient en voiture, moi j'avais demandé à y aller à vélo. Je me souviens de la route, je ne pensais qu'à la nouvelle, j'avais quatorze ans, j'allais avoir un petit frère ou une petite sœur. J'oubliais les côtes, je pédalais, je me demandais comment on allait l'appeler, je ne me posais pas encore la question essentielle. Celle que je me poserais dix ans plus tard, quand ma femme serait de nouveau enceinte après la naissance de

Mathieu. Est-ce que ce serait un enfant comme les autres ?

Ma mère arrivait à nous offrir des vacances au bord de la mer.

Notre père n'est jamais venu en vacances avec nous. Il ne nous a jamais appris à nager. Il ne nous a jamais aidés à faire des châteaux de sable. Nous ne l'avons jamais vu en maillot de bain. Nous l'avons toujours connu habillé en docteur, avec son cuir qui n'avait plus d'âge.

Il préférait Arras, ses bistrots, ses copains, ses Byrrh.

Ma mère nous a élevés seule. Seule pour affronter mes humeurs et mes caprices.

Ça commençait à la gare, dans le train qui nous emmenait en Bretagne. Je ne supportais pas d'être en troisième classe, d'être assis à côté des pauvres qui parlaient fort et mangeaient des sandwichs au saucisson à l'ail. Je préférais la compagnie des riches élégants qui avaient des beaux vêtements, sentaient le parfum et allaient déjeuner au wagon-restaurant.

Je voulais être en première, j'allais m'y installer seul et je mettais mes pieds sur le siège en face. Ça posait quelquefois des problèmes avec le contrôleur, que je conduisais voir ma mère.

À Quiberon, ma mère louait, à une vieille Bretonne qui avait encore une coiffe, une maison de pêcheur près de la mer, entourée de petits murs en pierre sèche couverts de grosses mûres. La plage était déserte à l'époque.

On adorait les jours de tempête. La côte était sauvage, la mer blanche, les rochers noirs, les nuées de Turner et le fracas de Wagner.

Je bassinais ma mère pendant le mois de vacances. Une année, c'était pour avoir une canne à pêche avec un moulinet. J'avais une petite canne bien suffisante pour pêcher des pironneaux sur le port, mais j'avais une obsession, c'était la pêche au lancer.

Une autre année, c'était pour avoir un canoë. J'en voyais avec envie passer, avec des jeunes accompagnés de filles toutes bronzées, tandis que mes frères et moi pataugions sur la plage avec nos jambes blanches et ramassions des bigorneaux.

On voit la plage mais pas la mer. Au loin, la côte avec les grandes villas.

Elle est debout, toute seule, elle se tient bien droite.

Elle doit regarder la mer.

Elle a un chandail croisé et une ceinture dont les boucles brillent sur un short. Il ne s'agit pas d'un petit short comme on voit maintenant sur les plages. C'est un short en grosse toile beige, il n'est pas trop court, il est large, on dirait plutôt un bermuda. Maman profite que bonne-maman n'est pas là pour montrer ses jambes. Elle a les jambes fines, des jambes de sportive. Elles doivent être contentes, ses jambes, d'être au soleil, elles qui sont tout le temps dans le noir, sous son bureau, à la préfecture.

Une année, ma mère nous a offert une excursion en autocar à la pointe du Raz.

Je garde le souvenir du guide, devant la mer, levant son bras vers l'horizon, disant d'un ton grave : « Là-bas, l'Amérique. » J'ai fixé longtemps l'horizon, mais je n'ai rien vu, il y avait trop de brouillard.

Après, nous avons quitté le groupe et le guide pour escalader des rochers en bord de mer. Notre mère nous suivait difficilement. Dans son gros ventre, il y avait notre sœur.

Nous sommes arrivés en retard pour le retour, maman avait oublié l'heure du départ, l'autocar était parti sans nous. On a dû prendre un taxi pour rentrer.

Je me suis assis devant, à côté du chauffeur. J'étais très fier de rentrer en taxi. Je voulais qu'on me voie.

Coincée sur la banquette arrière entre Yves-Marie et Bernard, ma mère, accablée, regardait tourner le compteur.

Mer froide,
6 degrés en hiver

Comme un petit soldat qui prépare son paquetage pour partir au front, ma mère a préparé sa petite valise en faux cuir. Elle va accoucher à la maternité. Elle est partie à pied, toute seule. Mon père devait être au bistrot, déjà en train de fêter la naissance de son quatrième enfant, sans savoir si c'était une fille ou un garçon.

C'était une fille, elle s'est appelée Catherine. Les trois frères avec leurs gros doigts n'osaient pas toucher à cette petite chose fragile. Le soir, ma mère avait peur que notre père la prenne dans ses bras, la laisse tomber et la casse.

Dix ans plus tard, je rentrerai rue de la Paix, de la même maternité.

Mon premier fils, Mathieu, vient de naître.

Ma mère m'attend en haut de l'escalier, sa robe de chambre est claire, éclairée en contre-jour par une applique. On dirait une statue mortuaire.

Je suis bouleversé, ramolli. Pour une fois, j'ai envie de lui dire des choses gentilles. Je commence une phrase maladroite : « Je voulais te dire que je comprends aujourd'hui ce que c'est d'avoir des enfants… »

Elle ne me laissera pas le temps de continuer, elle me coupera la parole, brutalement :

« Je vais réchauffer ton dîner. »

« Mon père était dur et ma mère inquiète,
Ma sœur fière et muette,
La maison vivait à l'écart des gens
Pleine d'âpres batailles. »

« J'entendais dans son bureau crier mon père,
Et ma mère pleurer,
Tandis qu'en moi battait la haine[1]. »

Le poète Pierre Jean Jouve a écrit ces vers en 1919, à Arras.

1. Extraits de Pierre Jean Jouve (Arras, 1887-Paris, 1976), «Enfances», *Heures, livre de la nuit.*

Cette année, notre mère n'a pas pu nous offrir des vacances au bord de la mer. On est allés à Bouvigny-Boyeffles, à vingt kilomètres d'Arras. C'est un petit séminaire, avec un grand parc et une piscine.

Notre mère a loué un logement dans les dépendances. On dort tous dans la même pièce, comme dans un dortoir. Nous, les trois garçons, on a chacun un petit lit, notre mère a le grand lit.

Une nuit, je me suis réveillé et j'ai entendu un bruit, comme une plainte. J'ai d'abord cru que c'était une souris ou un oiseau. Ça venait du lit de maman.

En écoutant bien, j'ai compris. C'était maman qui pleurait, sous ses couvertures, tout bas pour ne pas nous réveiller.

J'ai d'abord pensé qu'elle faisait un cauchemar ou un mauvais rêve, mais comme ça durait, j'ai compris qu'elle pleurait vraiment. J'étais seul à l'entendre, mes frères dormaient.

D'habitude, ce sont les enfants qui pleurent, pas

les grandes personnes. Surtout pas les mères, elles sont sur terre pour consoler les enfants qui pleurent.

Là, les rôles étaient inversés. C'était le monde à l'envers.

J'ai pensé un moment me lever pour aller la consoler.

Je n'ai pas osé. Si elle pleurait tout doucement, sous ses couvertures qu'elle avait relevées, c'était pour se cacher. Elle ne voulait pas qu'on l'entende.

Ce n'était pas un cauchemar, ce n'était pas un mauvais rêve qui allait s'arrêter.

Elle pleurait parce que sa vie était un mauvais rêve. Je ne pouvais rien y faire.

Ce qu'on reprochait le plus à notre père, c'était de faire pleurer notre mère.

On voulait la voir heureuse.

Un jour, j'étais en auto avec mon père et ma mère. La voiture était une Simca 5, avec seulement deux places. Moi, j'étais assis derrière, sur le plancher. Je les voyais tous les deux. Mon père était gentil avec ma mère, il la faisait rire. Je les avais tous les deux pour moi tout seul, je crois que je n'ai jamais été aussi heureux que ce jour-là. Je me souviens que ma mère s'est retournée un moment pour me regarder, elle m'a demandé : « Tu es content d'être avec nous ? » Je n'ai rien répondu, elle voyait bien que j'étais le plus heureux des enfants.

Je me suis mis à rêver que ça pourrait continuer longtemps comme ça, toujours peut-être.

Ma mère a convaincu notre père de partir dans les montagnes se refaire une santé. Il va réparer ses poumons calcinés par l'alcool et le tabac. Il a quarante ans, mais déjà l'allure d'un vieillard, les cheveux blancs, longs, il tousse tous les matins pendant des heures. Il ne se lave pas tous les jours, il ne se coupe plus les ongles de pied, il part quelquefois faire ses visites en pantoufles. C'est devenu un clochard, ma mère a honte.

Il est soigné dans un grand sanatorium, perché sur le col de la Schlucht, l'Altenberg, un ancien hôtel de luxe où l'empereur François-Joseph avait séjourné. Il envoie des lettres très gentilles qui ne lui ressemblent pas. Il écrit, en parlant de lui, « le plus embêtant de la maison étant parti… ». Il demande pardon.

Maman est allée le voir. Ils ont passé une semaine ensemble, un peu un voyage de noces.

Maman est revenue ravie et confiante. « Votre père va guérir, il a compris, il n'est plus le même. »

Ils sont devant les montagnes, éblouis par le soleil. Ma mère porte un imperméable blanc et un chapeau de marin, mon père a une sorte de robe de chambre et une grosse écharpe foncée autour du cou. Ils ne se regardent pas, ils regardent dans la même direction, pour une fois. Ils regardent l'horizon.

Ma mère est radieuse, comme à la naissance de l'aube.

Mon père a l'air éteint, son regard est triste et son horizon funèbre.

Deux mois plus tard, notre père est rentré.

Bronzé, rajeuni, il avait à nouveau quarante ans.

Il a repris ses visites. Le soir, il était bien.

Pendant une semaine, ce fut le bonheur à la maison.

Puis, un soir, il est rentré anormalement gai.

On a compris qu'il n'avait pas compris.

Il était toujours le même.

*Avertissement de vent
de force d'ouragan*

Ma mère a téléphoné à l'institution Saint-Joseph pour prévenir. Les enfants Fournier ne viendront pas aujourd'hui, leur père est mort subitement d'une hémoptysie.

Quand ma mère a raccroché, je me souviens d'avoir entendu, dans le téléphone, la cloche qui sonnait la rentrée des cours.

On était contents, on avait une journée de congé.

Notre père est exposé dans le salon, là où il recevait ses clients, près de la table d'opération où il leur demandait de s'allonger. Aujourd'hui, c'est lui qui est allongé. Un mois avant, à la même place, il y avait tante Julie.

Ses clients viennent lui rendre un dernier hommage.

Ma mère les accueille. Elle ne joue pas la veuve éplorée, je pense qu'elle ne saurait pas faire semblant. Moi, l'aîné, je joue l'aîné, le soutien de famille. J'essaie de ne pas en faire trop. Les comédiens qui en font trop sont toujours mauvais.

Deux employés des pompes funèbres vont mettre notre père dans le cercueil. Ils soulèvent le corps mais un morceau du linceul reste coincé dans le sommier. L'un d'eux demande à ma mère des ciseaux pour couper le drap. On a vu alors notre mère pâlir et rester figée, avant de sortir du salon chercher les ciseaux.

Le soir, elle nous racontera qu'une semaine plus tôt notre père avait fait un cauchemar, il avait dit dans son sommeil : « On coupe un drap et ça fait un nouveau mort qui part. »

Le jour où il est mort, le plus triste c'était de penser qu'il n'arrêterait jamais de boire. Ce n'était pas faute de l'avoir demandé au ciel. Nous, les enfants, à Noël, on le demandait par écrit au petit Jésus. Bonne-maman, elle, s'adressait directement à Dieu, elle priait et faisait dire des messes au couvent des clarisses.

Apparemment, Dieu avait d'autres chats à fouetter.

Notre père aura bu jusqu'à la fin de sa vie. Il aura gâché sa vie, beaucoup celle de notre mère, un peu la nôtre, et il n'aura pas vu sa fille grandir.

Malraux a écrit que la mort change la vie en destin. On ne peut plus faire de retouche après, c'est du définitif.

On enterrait un alcoolique.

À l'enterrement, ma mère ne pleurera pas.

Elle avait, un jour où elle n'en pouvait plus, demandé à Dieu, «s'Il existe», de l'en débarrasser.

Ma mère avait été mise sur la route de mon père pour l'empêcher de dériver. Elle était sa dérive.

Elle était aussi son amer.

L'amer, c'est le point de repère sur la terre pour le bateau perdu en mer.

Elle n'a pas réussi à remettre mon père dans le droit chemin. C'est mon père qui lui a fait perdre son équilibre. Il a failli la faire chavirer. Elle a failli tomber, elle a failli nous faire tomber. Comme dans un jeu de quilles. Ce n'est pas seulement la boule qui fait tomber les quilles.

On a dévissé la plaque de la porte d'entrée, ça fait un petit carré plus clair sur le bois. Le cabinet médical est redevenu un salon et, grand événement, maman a fait des économies pour nous offrir une salle de bains. À l'époque c'était encore un luxe, seuls les bourgeois d'Arras en avaient.

Ma mère a commandé les travaux à un voisin plombier. On a transformé la salle d'attente en salle de bains.

Je me souviens de mon premier bain. Je n'arrivais pas à oublier les clients qui avaient défilé dans la pièce, tous ces gens inquiets qui lisaient des vieux *Paris Match*. J'avais l'impression qu'ils étaient encore là, qu'ils me regardaient.

Le voisin avait très mal travaillé, ça fuyait partout, l'eau n'était pas chaude et il avait demandé très cher. Maman avait payé.

Elle n'aura pas eu de chance, ma mère, ni avec son mari, ni avec son plombier.

Elle se faisait souvent rouler par les commerçants, les artisans, au restaurant… Elle n'était pas méfiante, elle était naïve. Elle ne voulait pas d'histoires, elle payait toujours.

Ma mère ne voulait pas faire de vagues.

Après la mort de notre père, notre mère a eu moins de soucis d'argent. Elle a touché sa retraite de médecin, enfin de l'argent qu'il ne boirait pas.

Au début, elle a essayé de récupérer l'argent que des clients lui devaient. Elle a eu beaucoup de mal. Certains, dont un directeur de banque, je me souviens encore de son nom, n'ont jamais payé.

Notre mère, humiliée et blessée, a commencé à baisser la tête, comme si elle était honteuse et coupable.

Elle n'était que courageuse et admirable.

*Mer agitée
avec houle de nord-ouest,
temporairement forte cette nuit
et demain matin*

Une nuit, j'ai été réveillé brutalement par la lumière. Ma mère était à la tête de mon lit, en manteau.

Elle venait me dire adieu, pas au revoir.

Je ne comprenais pas, je n'étais pas bien réveillé.

Maman m'a expliqué que c'était la fin. Elle partait mourir. Je me suis alors souvenu que, depuis une semaine, elle nous parlait de sa tumeur au cerveau. Je ne savais pas quoi répondre, je ne trouvais pas de phrase de consolation. Finalement, je lui ai demandé : «Pourquoi tu meurs pas ici, maman ?»

Elle a eu alors cette réponse délicate : «Non, je préfère aller mourir dehors, je ne veux pas vous déranger…»

Il devait être 3 heures du matin.

Bonne-maman, qui avait entendu des voix, est arrivée en robe de chambre. Elle a découvert sa fille en manteau, elle l'a convaincue de se recoucher, «Il n'y a pas urgence, tu mourras plus tard, en attendant il faut qu'il dorme, demain il y a école.»

Maman, un peu contrariée, est retournée dans sa chambre. Moi, je me suis rendormi bien vite.

J'ai essayé de faire des beaux rêves.

Le supérieur a convoqué ma mère pour lui annoncer la nouvelle : je suis mis à la porte de l'institution Saint-Joseph.

J'ai déposé la statue de la Sainte Vierge dans les WC.

Ma mère a essayé de me défendre, elle a cité le professeur de français qui m'aimait bien, elle a demandé si on était sûr que c'était moi.

Le supérieur a été intraitable :

« De toute façon, madame, il en serait bien capable.

— Qu'est-ce que je vais en faire, monsieur le supérieur ? »

On était à six mois du bac.

« Je ne sais pas, madame. Peut-être qu'il existe une école de clowns. »

Il a dit ça avec beaucoup de mépris pour les clowns.

Je me souviens du retour à la maison, il fut long. Je suivais en silence ma mère accablée, honteux et la tête basse. Elle était préoccupée, elle allait devoir, en cours d'année, me trouver une nouvelle école.

Elle ne m'a pas fait de reproches. Depuis le début, je sentais qu'elle m'avait compris. Elle reconnaissait que la statue n'était pas très belle. Plus tard, une de ses amies me racontera qu'elle lui avait confié avoir même beaucoup ri. Évidemment, elle ne pouvait l'avouer à personne.

Bonne-maman avait déjà commencé une neuvaine pour m'arracher à l'enfer, et à l'évêché d'Arras on statuait sur mon sort, on parlait d'excommunication.

J'avais fait une énorme bêtise qu'elle aurait peut-être aimé faire quand elle était petite. Et puis, voir sa mère scandalisée ne devait pas lui déplaire.

Je revois son air filou sur la photo, à table, encadrée par ses vieux parents. En commettant ce sacrilège, j'avais vengé la petite gamine effrontée avec son gros nœud blanc.

Après l'épisode de la Vierge, certains parents ont demandé à leurs enfants de ne plus me fréquenter, l'accès à leur maison m'a été interdit. Parmi eux, une famille où j'avais deux camarades, ils avaient une sœur. Elle était belle, j'en étais secrètement amoureux, elle s'appelait Évelyne. J'allais très souvent chez eux pour la voir. Désormais ce ne serait plus possible. C'était fini, je ne la verrais plus jamais.

Je voulais mourir.

Ma mère m'a trouvé dans ma chambre, en larmes. Je ne voulais rien dire, c'était un secret.

Elle a su, avec beaucoup de subtilité, me faire parler. Je lui ai expliqué les raisons de mon chagrin. Elle a trouvé les mots pour me consoler. Si vraiment j'étais amoureux de cette jeune fille, je la retrouverais, les gens qui s'aiment finissent toujours par se retrouver.

Avant de partir, elle m'a fait une petite caresse sur ma brosse hirsute.

Ma mère somnole devant la télévision. Sept mois ont passé depuis la mort de notre père.

La salle à manger est dans la pénombre. L'épais buffet Renaissance flamande, tapi dans l'ombre comme un hippopotame, est éclairé par l'écran noir et blanc de la télévision.

Ma mère est assise dans un grand fauteuil, les trois garçons autour de la table, sur des chaises. Dans le poste, des danseuses court vêtues et pailletées gigotent sur des rythmes tropicaux, des beaux garçons en smoking chantent et dansent. C'est la soirée du nouvel an, tout le monde semble heureux, la vie est une fête.

Sur l'écran, une grande horloge décompte les dernières secondes de l'année.

Apparition de Catherine Langeais, superbe. Des paillettes brillent dans ses cheveux. Elle a une coupe de champagne à la main. Elle l'approche de la caméra et invite tous les téléspectateurs à venir trinquer avec elle : « Souhaitez-vous la bonne année, embrassez-vous. » Elle ajoute, avec délicatesse, «même avec un verre d'eau».

Malaise énorme dans la salle à manger. Qui va avoir le courage de se lever pour aller embrasser la joue froide de notre mère ?

Moi, le plus culotté, je n'ose pas. Je marmonne «Bonne année», mes frères aussi.

Dans le poste de télévision c'est l'implosion, des milliers de serpentins tombent du ciel, tout le monde s'embrasse.

Nous, on les regarde.

Ma mère, pour ceux qui ne la connaissaient pas bien, était un peu distante, elle faisait grande dame bourgeoise, ce qu'elle n'était pas.

Elle n'embrassait pas volontiers, elle se laissait embrasser. Elle ne s'était pas assez entraînée dans sa jeunesse. Bonne-maman avait peur des baisers, elle devait penser à Judas.

Ma mère se méfiait de sa sensibilité, comme ceux qui en ont trop. Elle la gardait à l'intérieur.

Quand on l'embrassait, elle ne tendait pas la joue, elle restait raide, comme une statue. Si on voulait l'embrasser sur les deux joues, il fallait faire le tour.

Ma mère, un jour, nous a dit : « Si je ne me suis pas remariée, c'est à cause de vous. »

Pourquoi nous avoir dit ça ?

J'en ai marre qu'on se sacrifie pour moi, le Christ l'a déjà fait. Il est mort pour racheter nos péchés. On ne lui avait rien demandé au Christ. S'il a voulu racheter nos péchés, c'est ses oignons.

On n'a jamais empêché notre mère de se remarier. Elle en a eu l'occasion. Elle ne nous a jamais demandé notre avis.

Elle retrouvera le petit fiancé, devenu un éminent professeur de faculté, ennuyeux et pas drôle. Elle avouera qu'avec notre père, au moins, elle ne s'est pas ennuyée.

Nous, on aurait peut-être été ravis d'avoir un père, un vrai.

Moi je pense que si notre mère ne s'est pas remariée, c'est plutôt à cause de bonne-maman. Elle continuait à régner, elle avait voix au chapitre. Pour elle il n'y avait pas urgence. Être heureuse, elle ne savait pas ce que ça voulait dire, elle n'avait jamais essayé. Le bonheur c'était pour après, dans l'au-delà.

Notre mère non plus n'était pas pressée. Après son premier mariage, elle était devenue très prudente.

Elle avait trente-huit ans quand notre père est mort. Si elle s'était remariée, peut-être qu'elle aurait été heureuse.

Est-ce qu'elle aurait encore su... ?

Dieu seul, s'Il existe, le sait.

Ma mère, un jour, m'a posé une étrange question. J'avais vingt ans.

J'étais avec des amies, ma future fiancée et sa sœur. Nous avions projeté d'aller danser au Pré fleuri, un dancing à Sainte-Catherine, près d'Arras.

En arrivant à Arras, la sœur de ma fiancée ne se sent pas bien. Je propose d'aller chez ma mère. Je l'installe dans une chambre, je m'occupe d'elle, je lui prépare un médicament. La malade se remet rapidement et nous repartons.

Après un douloureux « Amusez-vous bien », ma mère m'a demandé : « Est-ce que tu aurais fait ça pour moi ? »

Bien plus tard, j'ai compris. Si notre mère s'inventait des maladies, c'était pour qu'on s'occupe d'elle. Comme si nous ne l'aimions pas assez. Elle avait déjà été délaissée par notre père, elle avait besoin de nous.

Ma mère s'est toujours beaucoup intéressée aux arts. Jeune, elle a fait du piano, elle a dessiné et peint, je me souviens d'un dessin du château d'Azay-le-Rideau, qu'elle avait encadré, et de ses aquarelles fragiles qu'enfants nous regardions avec admiration. C'étaient souvent des paysages avec la mer. Plus tard, après sa retraite, elle apprendra la guitare et fera de la tapisserie. Sa *Dame à la licorne* avait un lointain rapport avec la somptueuse tapisserie du musée de Cluny.

En nous emmenant très jeunes au concert, au cinéma, au théâtre, notre mère voulait nous faire partager les grandes joies que procuraient les arts. Elle nous a donné, très tôt, l'admiration pour les artistes ; pour elle, ils étaient des bienfaiteurs de l'humanité, ils lui rendaient la vie supportable.

J'ai partagé cette admiration au-delà de ses espérances. Sans doute pour me faire admirer d'elle, j'ai voulu faire l'artiste.

J'apprenais par cœur des passages des pièces de Racine, de Molière, que je déclamais dans les champs de betteraves de l'Artois. J'allais au théâtre d'Arras, je prenais l'entrée des artistes et je montais au poulailler. J'ai pu voir les crânes de Jean Weber, Danièle Delorme, Malka Ribowska. Dans la cour du palais Saint-Vaast, je suivais les répétitions du festival d'art dramatique.

Un jour, j'avais treize ans, mon père m'a demandé ce que je voulais faire quand je serais grand. J'ai répondu «comédien», mon père a déclaré «ce n'est pas un métier».

Heureusement, ma mère n'était pas de cet avis. Elle était capable de suivre mes rêves, peut-être avait-elle eu les mêmes.

Après mon bac, elle était prête à me laisser prendre des risques, m'installer à Paris pour apprendre un métier déraisonnable. J'allais préparer l'entrée au conservatoire d'art dramatique.

Puis elle a vu à la télévision un reportage sur l'Idhec, l'Institut des hautes études cinématographiques. Elle a pensé que ce serait plus raisonnable que le conservatoire. Les mots «hautes études» devaient la rassurer, et puis ce serait plus simple pour obtenir une bourse. Moi, je n'étais pas fixé; théâtre ou cinéma, c'était toujours du spectacle.

Je ferais donc du cinéma. Je me suis inscrit à la classe préparatoire à l'Idhec au lycée Voltaire, et je suis parti pour Paris.

Ma mère et moi avons quitté Arras dans la 2 CV. On est partis très tôt pour ne pas arriver tard. C'est moi qui conduis. Tout va bien. Nous allons à Paris pour me chercher une chambre.

Paris m'attend. Le rideau va s'ouvrir, j'entends déjà les ovations. Les critiques ont adoré mon premier film. On applaudit aussi ma mère, pour son courage, c'est grâce à elle tout ça.

À trente kilomètres d'Arras, en rase campagne, on crève.

Je prends les choses en main, je vais démonter la roue, mettre la roue de secours.

La roue de secours est crevée, on va devoir appeler un dépanneur.

On arrivera à Paris en fin de journée, dans les embouteillages.

Un taxi, qui a remarqué ma plaque avec un 62, Pas-de-Calais, s'est mis à ma hauteur, a baissé sa vitre et m'a lancé : « Fais pas de dégâts, le mineur ! »

Nous avons eu beaucoup de peine à trouver la

maison de Tonton Roger, où nous devions loger. Ma mère avait oublié de prendre le plan.

« Je dois porter la poisse », dira-t-elle en arrivant…

Elle ignorait qu'elle avait été la plus grande chance de ma vie. Je n'ai pas osé le lui dire, elle m'avait appris à taire mes sentiments.

Quand ma sœur Catherine a fait sa communion solennelle, notre mère a voulu en faire un événement. Elle aimait les réunions de famille et les fêtes. Du temps de notre père, impossible d'en organiser, c'était trop risqué, on ne pouvait jamais savoir dans quel état il allait être.

Elle a décidé d'inviter une bonne partie de la famille et d'organiser un grand repas. Elle va choisir un restaurant qui soit équidistant de Paris et d'Arras, les deux villes où habite la famille proche.

Six mois avant, elle va avec Catherine faire des repérages. Elle arrêtera son choix sur Montdidier, à cent douze kilomètres de Paris et quatre-vingt-douze kilomètres d'Arras. Chaque week-end, elles iront tester les restaurants du coin. Elle a trouvé une auberge de campagne où la cuisine est remarquable. Elle s'entend avec le chef pour un menu de fête.

Le grand jour est enfin arrivé. Bonne-maman est ravie à la perspective de revoir la famille, elle a préparé la veille au soir sa robe du dimanche.

Notre mère veut partir tôt d'Arras, elle emmène bonne-maman et Catherine.

Bonne-maman est longue à se préparer, maman est impatiente, elle va frapper à sa porte. Pas de réponse, elle entre.

Bonne-maman est sur son lit, inconsciente.

On appelle un médecin.

Bonne-maman a fait un accident cardio-vasculaire. Notre mère va devoir rester à son chevet.

Jusqu'à la fin, sa mère lui aura gâché le plaisir.

Sa déception est à la hauteur de la joie qu'elle se faisait de réunir sa famille. Depuis un an, elle préparait cette fête.

À quoi pensait-elle quand elle a vu partir Catherine rejoindre les autres ?

Que, définitivement, elle n'avait pas de chance ; que, définitivement, le bonheur n'était pas pour elle. Le monde se liguait pour la rendre malheureuse, même sa mère. Difficile de la contredire, ce jour-là.

Son menu de fête, ce sera, seule, dans la cuisine, des nouilles tièdes avec du jambon.

Deux semaines après la communion de Catherine, bonne-maman meurt. Elle avait quatre-vingt-neuf ans. Elle est certainement montée au ciel directement, sans passer par la case purgatoire.

Ça fait un troisième mort qui part de la maison de la rue de la Paix.

Catherine a douze ans. Elle va rester huit ans dans la grande maison, seule avec notre mère. Ses frères sont partis vivre leurs vies.

Dire que ce seront huit ans de folle gaieté serait exagéré.

Variable dépressionnaire
mollissant de 4 à 5 à la fin,
mer forte à très forte

Ma mère et Catherine se sont retrouvées seules dans la maison de la rue de la Paix, avec les quinze crucifix sanguinolents.

La chambre de Catherine est mon ancienne chambre, elle est contiguë à celle de ma mère. Chaque soir, Catherine vérifie que la porte de communication entre les deux chambres n'est pas complètement fermée. Peut-être pour entendre le dernier soupir de notre mère.

La grande crainte de Catherine est que sa mère meure la nuit. Elle a peur de se retrouver seule dans la grande maison avec un cadavre et les quinze crucifix.

Elle a prévu, si le pire devait arriver, d'aller trouver le curé de la paroisse, l'abbé Wargniez. Il habite rue de la Paix.

Pour Noël, Catherine a offert à notre mère un petit carnet. Elle a écrit dessus :

« Pour prendre des notes et vivre en bonne santé… et longtemps. Bonne continuation et bon Noël. »

Heureusement, il y avait les week-ends. Ma mère et Catherine partaient toutes les deux en 2 CV parcourir les collines de l'Artois. Elles découvraient des petits villages, elles visitaient les vieilles églises, les cimetières. Ma mère redécouvrait le pays de Bernanos et ses grands cimetières sous la lune.

Quand il faisait beau, elle décapotait, et Catherine se mettait debout, les cheveux dans les yeux, la tête dans le ciel.

Le retour à Arras était toujours inattendu. Elles se trompaient, ma mère prenait souvent des petits chemins qui se perdaient dans les champs, et elles se perdaient pour de bon. Ça faisait partie du plaisir. Elles jouaient à se faire peur. Pour faire rire Catherine, elle lui faisait croire qu'elles étaient définitivement perdues, qu'elles n'allaient jamais retrouver la maison de la rue de la Paix, qu'elles allaient devoir passer la nuit à la belle étoile, en écoutant les rugissements du lion de Flandre.

Ma mère est montée dans sa voiture, elle s'est assise, elle attend.

Elle attend quelqu'un ?

Ça dure. Elle n'a pas l'air impatient. Elle regarde les arbres, la rue, elle rêve.

Puis, soudain, elle s'étonne de ne pas avancer.

Par distraction, elle s'était installée à la place du passager. Comme si elle attendait un chauffeur.

Notre mère n'a jamais eu de chauffeur. Elle a toujours été aux commandes. C'est elle toute seule qui a dû conduire sa vie, et la vie des autres. Elle n'a jamais pu compter sur son mari, il était irresponsable. C'est elle qui a tenu le volant pendant toute la route.

Elle a conduit prudemment. Elle devait faire attention, derrière il y avait quatre enfants et, dans le coffre, un mari qui ronflait.

Elle nous a menés à bon port.

Un soir, à Catherine rentrée très tard, ma mère, folle d'inquiétude, avait dit : « Après la vie que j'ai eue, tu pourrais me ménager et ne pas me faire à nouveau souffrir. » C'était le jour de ses dix-sept ans. Ce jour-là, Catherine allait apprendre ce que c'était que « la vie que j'ai eue ».

Notre mère ne lui avait jamais parlé de notre père. Catherine aurait pu garder de lui l'image du jeune médecin brillant qu'il était sur les photos. Elle ne savait rien du clochard gris dans sa canadienne en cuir et ses vieux souliers avec des caoutchoucs de bocaux pour refermer les semelles.

C'est de ce personnage que notre mère et nous, les frères, gardons le souvenir.

Celui dont, chaque jour avec inquiétude, on se demandait « Comment il est ce soir ? ».

Vents force 8 à 10,
mollissant 6 à 7 plus tard

Ma mère, à la fin de sa vie, avait dans sa chambre, devant son lit, les photos en grand et en couleurs de ses quatre enfants et de ses onze petits-enfants. Elle nous voyait le soir en s'endormant, elle nous retrouvait le matin en se réveillant.

Elle était fière de son œuvre, c'était pour elle encore plus beau que sa tapisserie de la *Dame à la licorne*. Avec un capitaine Haddock comme notre père, le bateau Fournier aurait eu toutes les bonnes raisons de sombrer. Heureusement, notre mère avait toujours été là, elle avait tenu la barre, fermement.

La petite jeune fille romantique qui aimait Chopin s'est révélée une mère Courage. Elle a réussi à nous donner une enfance heureuse, une bonne éducation, nous avons pu faire des études supérieures. Elle a eu des satisfactions, un fils polytechnicien qui a défilé le 14 Juillet sur les Champs-Élysées, les autres qui se sont très bien débrouillés, et des petits-enfants prometteurs. Elle gardait dans son jardin secret les fragiles Thomas et

Mathieu, à la cervelle d'oiseau, auxquels elle pensait d'autant plus qu'elle n'osait pas m'en parler.

Ma mère, parfois, m'envoyait par le courrier des citations de livres qu'elle était en train de lire. Je n'oublierai jamais celle de Romain Gary :

« Je ne pardonnerai jamais à Dieu le mal qu'Il a fait à ma mère. »

Je pense à ma mère, à ses longues soirées d'hiver, à ses longues années de solitude.

Dans le tourbillon de la jeunesse, on ne sait pas que ça existe, on comprend plus tard. Maintenant, je sais ce que veut dire le mot solitude. J'ai de plus en plus besoin de mon chat.

Ma mère a souvent été seule. D'abord, avec ses vieux parents. Puis, plus tard, après son mariage.

Seule dans une ville parfois hostile pour la femme du docteur qui buvait.

Seule le dimanche à côté d'un mari qui ronflait devant la TSF qui commentait un match de foot.

Seule le soir à attendre un mari qui rentrait tard, seule la nuit à côté d'un mari qui cuvait.

Seule quand ses fils sont partis, seule quand sa mère est morte, seule quand sa fille s'est mariée.

Seule quand elle a quitté la maison de la rue de la Paix pour un appartement à Sainte-Catherine. Elle qui aimait le silence, elle en venait à se réjouir d'avoir au-dessus d'elle le tapage des enfants des autres.

Seule dans son dernier appartement de la rue des Balances à Arras près d'un téléviseur bavard et d'un téléphone muet, sans voir ni parler à personne.

Ma mère est devant la télévision. Il est 9 heures du matin. Elle est dans son peignoir à fleurs, elle regarde un feuilleton brésilien, à fleurs aussi, sur lequel la musique coule comme du sirop de canne.

C'est un fond de tiroir de la télévision.

Je suis gêné de la voir devant ce spectacle affligeant. Elle qui aime le cinéma, adore la poésie et la musique. Elle mérite tellement mieux. Comment peut-elle aimer ça ?

Je le lui ai dit brutalement, elle s'est fâchée.

Je suis reparti à Paris. Je l'ai laissée seule, devant son téléviseur.

Sur la route, j'ai compris qu'elle n'aimait pas ça, mais la médiocrité, la vulgarité, la laideur ne la faisaient plus fuir.

J'ai alors mesuré à quel point elle était seule.

Si j'étais resté, elle n'aurait pas allumé la télévision.

Une année, Catherine a confié son chat à ma mère pour les vacances. C'est un adorable petit chat noir, habitué à vivre à la campagne. Dans l'appartement de ma mère, il se sent un peu à l'étroit. Il grimpe sur les murs couverts de tissu, ma mère n'ose rien dire. Elle n'est pas très chat, elle a un peu peur de lui.

Le chat, lui, n'a peur de rien, il lui a mordu très fort la main. Elle ne s'est pas plainte, elle ne voulait pas gâcher les vacances de Catherine.

Elle a gardé le chat jusqu'à son retour. Elle avait fini par trouver une parade, son aspirateur. Le chat noir avait une peur bleue de l'aspirateur rouge. Ma mère se promenait toute la journée avec son aspirateur, je crois qu'à la fin elle dormait avec.

Ma mère a habité la rue des Balances, qui donne sur la petite place près du beffroi où «tout en haut de lui le grand lion de Flandre hurle en cris d'or dans l'air moderne: "Osez le prendre[1]!" ».

De ses onze petits-enfants, il ne lui restait à Arras que deux petites-filles. Elle aurait pu les voir, elle ne les voyait pas. Une ex-belle-fille leur interdisait d'aller voir leur grand-mère. Quand elles allaient dans l'immeuble de notre mère, où exerçait leur médecin, les petites filles, dociles, passaient devant sa porte sans s'arrêter.

C'était dommage pour ma mère, pour elles aussi. Ma mère, ancienne professeur, a beaucoup appris à ses petits-enfants. Connaître Chopin et Chaplin, découvrir des livres qu'on est triste d'avoir fini, feuilleter des albums d'art et garder le souvenir de tableaux enchanteurs, visionner des films comiques américains dont on rit encore longtemps après... Des tas de choses qui font la vie passionnante.

----

1. Paul Verlaine, *Amour*, «Paysages», 1888.

Ses petits-enfants l'ont connue dans un temps où l'apaisement était arrivé. Dans un temps où les tempêtes s'étaient éloignées, après que le bateau ivre eut sombré. Dans un temps où les souvenirs de sa vie difficile commençaient à se noyer dans les brumes de l'oubli. Quand elle renaissait à la vie.

Si nous, ses enfants, l'avions entendue beaucoup pleurer, ses petits-enfants, eux, ont eu de la chance, ils l'ont entendue beaucoup rire.

«Elle avait son fameux carnet à blagues. Elle avait ses blagues récurrentes qui finalement n'étaient marrantes qu'à force de répétition. Elle me tendait un torchon et, quand je le saisissais, elle en gardait un bout et mimait le geste du scieur en chantant : "Scions du jambon à quatre sous la livre..." »

Samuel, son petit-fils.

Notre mère a toujours eu soif d'apprendre. Après sa retraite, elle est retournée à Lille, prendre des leçons de dessin et suivre des cours de littérature à la faculté. Elle aimait beaucoup Lille. Elle retrouvait sa jeunesse, quand elle étudiait à la Catho et qu'elle rêvait sa vie future.

Un jour, ma sœur Catherine, qui habitait Lille, lui a proposé de déjeuner avec elle. Quand elles se sont quittées devant le restaurant, Catherine s'est avancée pour l'embrasser. Ma mère s'est reculée : « Non, on ne s'embrasse pas dans la rue. »

Parfois, la mère est froide.

Pour ses petits-enfants, ma mère a toujours été
«Glagla».

Glagla, c'était le bruit qu'elle faisait avec ses cas-
seroles en cuivre.

Beaucoup plus tard, elle finira par avouer qu'elle
n'aimait pas trop ce surnom. Glagla est une onoma-
topée qui veut dire froid. C'est la première syllabe
de glace.

J'ai bien fait de ne pas appeler son livre «La mère
est froide».

Une de ses amies m'a confié : « J'avais d'elle l'image d'une personne respectueuse, maître de sa vie et très concernée par ses enfants. Cependant, elle était au-delà du quotidien, comme si elle considérait tout d'un peu au-dessus du sol. »

Ma mère n'était pas une femme d'intérieur, elle ne s'épanouissait pas à faire briller ses meubles, des meubles quelconques qu'elle semblait ne pas voir, tous sortis de chez Lévitan. Une lourde salle à manger Renaissance flamande, une chambre avec une armoire à glace en bois verni et le reste à l'avenant.

Elle ne consacrait au quotidien que le strict nécessaire. On ne la voyait jamais avec un chiffon à la main.

Cette idée qu'elle était au-delà du quotidien, qu'elle était au-dessus du sol, m'a enchanté. Je l'ai imaginée en lévitation comme un archange. Je la voyais entre ciel et terre, entre quotidien et rêve, le rêve qui lui permettait d'échapper à un quotidien qui n'avait pas été doux tous les jours. La terre ne lui avait pas toujours été hospitalière. Elle préférait

145

le ciel aux plafonds de sa maison. Elle habitait avec des rêves trop grands une maison trop petite[1]. Elle avait besoin du ciel pour s'y consoler, pour s'y perdre. C'était le ciel de Turner, de Constable, de Monet, mais plus souvent les ciels tourmentés de Caspar David Friedrich.

---

1. D'après Gustave Flaubert (1821-1880), *Madame Bovary*, 1857.

Pour Pas-de-Calais,
vents variables,
mer belle

Arras, l'appartement de ma mère. Cinq vieilles dames, « le clan des veuves », autour de ma mère, elles prennent le thé. Il y a des petits gâteaux sur la table, le service à thé est en porcelaine anglaise.

On se croirait chez Agatha Christie.

Les dames sont habillées avec des couleurs pastel, beaucoup d'écossais et de tweed. Elles papotent. Elles entourent ma mère. Ma mère est de dos, elle a une veste parme. À l'expression de ses convives, on imagine qu'elle doit leur raconter une histoire drôle. Elle les fait bien rire. Peut-être est-elle en train de se moquer d'une voisine du quartier ? Elle n'aimait pas tout le monde. Elle avait ses têtes.

Ma mère avait des petites oreilles, mais elle s'en servait beaucoup. Elle adorait écouter la musique et le chant des oiseaux.

À la fin de sa vie, elle aimait écouter les gens, ça lui évitait de penser à elle. Quand on l'appelait Ménie Grégoire, ça la faisait bien rire.

Elle était à l'écoute des autres, elle s'intéressait aux autres, surtout à ceux qui avaient des malheurs. Ils pouvaient se consoler en pleurant sur son épaule. Quand, dans un groupe, il y avait des gens fragiles, ils allaient toujours vers elle, elle était un aimant à malheureux. Elle avait eu une vie si dure qu'elle avait une capacité à comprendre les autres. Elle partageait avec eux le malheur, ça faisait pour chacun des plus petites parts.

Elle ne croyait pas au paradis, elle croyait au bonheur. Un bonheur qui lui avait souvent glissé entre les mains et qu'elle avait eu beaucoup de peine à retenir avec ses doigts arthrosiques.

Ma mère avait mis au point un soupir, un long soupir qui dépassait le temps d'un soupir. C'était un long chuintement, comme une brise marine. Elle aspirait longuement de l'air entre ses lèvres mi-closes, son regard était douloureux, levé vers le ciel, dans la grande tradition des *pietà* et des *mater dolorosa*. Ce soupir voulait dire je suis très malheureuse, j'ai toujours été malheureuse, je serai toujours malheureuse, mais je ne me plains pas, de toute façon c'est peut-être mon dernier soupir, mais surtout, surtout, que tout cela ne vous empêche pas de bien vous amuser.

Avait-elle vraiment envie qu'on s'amuse ?

Ma mère est une silhouette dans la nuit d'Arras.

Elle marche rapidement, elle se retourne souvent. Elle a peur d'être suivie, elle prend la rue Ernestale, toutes les vitrines sont noires, il n'y a que les réverbères qui éclairent un pavé luisant, elle tourne et se dirige vers le beffroi, elle prend à droite la rue Émile-Legrelle, elle passe devant le casino, puis devant la charcuterie Brunel où on faisait les meilleures andouillettes d'Arras. Elle tourne dans la rue des Balances, elle presse le pas, elle rentre dans la cour de son immeuble, elle regarde s'il n'y a personne dans l'escalier, elle prend l'ascenseur, elle monte à son étage, elle ouvre la porte de son appartement, elle entre et la referme soigneusement. Elle retire son manteau, passe à la salle de bains et elle se couche. Elle éteint la lumière, ferme les yeux. Elle entend les trois coups, le rideau rouge du théâtre s'ouvre, elle a encore dans la tête les répliques, elle n'aura pas besoin ce soir de la télévision pour s'endormir.

Ma mère allait souvent au théâtre. Un superbe

théâtre à l'italienne. Elle adorait le théâtre mais elle avait la hantise du retour, seule dans les rues vides. Elle avait peur mais elle se faisait violence, sa curiosité et son désir de voir du monde finissaient toujours par l'emporter.

Ma mère aimait avoir peur au cinéma, elle adorait Hitchcock. Elle avait enregistré tous ses films à la télévision. On a récupéré les cassettes après sa mort. Je crois que son préféré était *Vertigo*.

Une année, j'ai amené à Arras un camarade de la classe de préparation à l'Idhec. On avait prévu de tourner un petit film en 8 millimètres intitulé *Mais qui a tué Arras ?* C'était une forme d'hommage à Hitchcock, à sa comédie *Mais qui a tué Harry ?*

L'assassin s'appelait Dimanche.

Ma mère disait que, le dimanche, Arras était une ville morte. C'était il y a cinquante ans.

Tous les dimanches, j'appelais ma mère au téléphone. Comme elle craignait d'entendre de mauvaises nouvelles, avant que j'aie prononcé le premier mot, je l'entendais me dire : « Alors tout va bien, je suis bien contente. »

Je gardais pour moi mes malheurs. On parlait littérature, ou cinéma, des nouveautés, elle en savait souvent plus que moi, et on parlait du temps, tout le monde était content.

Elle posait énormément de questions mais n'écoutait pas les réponses.

Elle avait décidé d'être heureuse envers et contre tout.

Quelquefois, le dimanche, j'ai la tentation de l'appeler.

Vent force 3 à 5,
fléchissant 3 à 4 plus tard

Quand ma mère a vieilli, elle est devenue moins vive, alors elle a compensé, par des couleurs vives. Sa robe de chambre s'est couverte de coquelicots, ses rideaux de grosses pivoines orange, son parquet de carpettes multicolores.

Elle pensait que les couleurs faisaient fuir la vieillesse. Alors elle se couvrait de couleurs vives.

Je me souviens du mariage d'une de ses petites-filles. Elle avait un très grand chapeau violet, à faire pâlir d'envie la reine d'Angleterre, avec qui elle avait un petit air de famille.

Le début de sa vie avait été en noir et blanc, la couleur était apparue plus tard. Comme pour la télévision.

Sa femme de ménage avait pris la mauvaise habitude de lui faire des cadeaux décoratifs qu'elle se sentait obligée d'exposer. J'ai encore le souvenir d'une énorme montre-bracelet baromètre jaune, fixée au mur, l'aiguille bloquée sur «variable». Elle devait bien mesurer cinquante centimètres de long.

Ma mère faisait du kitsch sans le savoir.

Il nous arrivait souvent, ma femme et moi, d'aller à Arras voir ma mère et de la trouver en très mauvais état. Elle était inquiète, elle nous disait qu'elle était très malade, elle avait des palpitations, son vieux cœur allait rendre l'âme, elle allait mourir dans la journée. Je n'étais pas trop ému, j'étais habitué, ça me rajeunissait. C'était une scène qui faisait partie de son répertoire. Je lui donnais la réplique. Je lui proposais, avant son agonie, un bon restaurant. Il y en a de très bons à Arras, notre préféré était sur la place du Marché aux Vaches, il s'appelait Le Victor Hugo.

D'abord, ma mère refusait énergiquement, « Tu as vu mon état, je vais avoir un malaise ». Elle n'osait pas prononcer le mot, mais elle sous-entendait qu'elle pouvait mourir à table.

Puis, devant mon argument massue « Il vaut mieux mourir après un bon repas qu'avant », le refus devenait moins ferme, elle cédait et se laissait entraîner. « Pour vous accompagner, alors… »

Au maître d'hôtel, elle déclarait dans un filet de

voix qu'elle n'avait pas faim, elle prendrait simplement un hors-d'œuvre très léger, par courtoisie. Le vin aidant, après le hors-d'œuvre qu'elle trouvait délicieux, elle commandait un vol-au-vent, puis du fromage.

Je me souviens, à la fin d'un de ces repas, du maître d'hôtel présentant la carte des desserts. Nous n'avions plus très faim, ma mère avait levé la main et, avec assurance, avait commandé une « assiette gourmande ».

L'assiette gourmande était une grande assiette débordant de toutes les spécialités de la maison. Ma mère en était venue à bout.

Elle était ressuscitée.

Un jour, elle avait déclaré à ma sœur Catherine : « Le jour où je n'aurai plus faim, tu pourras te dire que c'est la fin. »

«Bonne-maman nous a invités à goûter, elle avait fait une brique, quand nous sommes arrivés, très en retard, la brique était ronde, elle avait mangé les coins.»

Valérie, sa petite-fille.

Notre mère, qui a toujours eu peur de la mort, semble sur le tard se résigner à son statut de bio-dégradable. Après avoir voulu donner son corps à la science, qui l'a refusé pour des problèmes de stockage, elle a trouvé bien mieux.

Elle a découvert l'association des crématistes de France qui lui garantit une fin chaleureuse.

Elle envisage avec sérénité de passer son éternité en cendres. Elle nous a montré une photo du jardin des souvenirs où elle reposerait. C'était une charmante prairie couverte de fleurs des champs, avec plein d'oiseaux. Un journal interne tient les nouveaux abonnés informés de la vie de l'association. Un nouveau crématorium en Alsace. Un grand barbecue, le prochain dimanche, pour les crématistes de Seine-Maritime…

Les membres de l'association sont sympathiques et les réunions amicales. Grâce à eux, notre mère a retrouvé un foyer.

Cinquante ans plus tard, j'ai voulu aller revoir, avec ma mère, la maison de la rue de la Paix.

Elle a été modernisée, un mot qui me fait peur. Il me fait penser à la chirurgie esthétique, à ces vraies vieilles devenues des fausses jeunes et qui se ressemblent toutes. Les maisons du XVIIIe sont devenues toutes pareilles. Les façades ont été ripolinées. Les plaques d'émail sur les portes ont disparu. Disparu, Monsieur Libéral, vidangeur. Disparu, Monsieur Mattuizzi, peintre en lettres. Disparu, Monsieur Gaffet, garagiste, qui vendait de vieilles voitures à notre père. Disparu, Monsieur Choque, imprimeur, qui imprimait ses ordonnances. Difficile de retrouver la maison du petit chanoine Gaquère, sosie de Tournesol, le couvent des sœurs de la Providence, le couvent des sœurs missionnaires du Saint-Esprit avec son grand parc dans lequel nous jouions aux Indiens.

Le clergé s'est envolé, avec les corbeaux.

Il y a encore, en face de notre maison, le vieux mur du jardin de la préfecture, un mur devant lequel notre père, incapable de sortir de sa voiture, avait passé beaucoup de nuits à ronfler.

Ma mère se taisait. Elle avait vécu là les dix années les plus dures de sa vie, les dix dernières années de mon père.

J'ai garé ma voiture, je suis sorti pour aller voir la maison de près. Ma mère n'a pas voulu descendre, elle est restée dans la voiture, absente.

Elle en avait assez vu.

«J'aimais bien quand elle nous parlait de notre grand-père, c'était toujours des anecdotes assez drôles, racontées en riant. En grandissant, j'ai réalisé que ça n'avait certainement pas été drôle du tout.»

Anne, sa petite-fille.

Mer peu agitée, ridée à belle

Ma mère a quatre-vingts ans, elle n'a plus peur, en tout cas elle ne le dit pas.

Il y a quarante ans, elle s'inquiétait pour ses tétanos, ses tumeurs au cerveau, ses tuberculoses, toutes ses maladies imaginaires. Maintenant qu'elle pourrait s'inquiéter légitimement, elle ne s'inquiète pas. Elle va se faire opérer de la hanche.

Elle y est allée toute seule. Comme un petit soldat. Comme quand elle était partie avec sa valise en faux cuir pour accoucher.

Notre père ne l'a pas accompagnée. Cette fois il a une bonne excuse, il est mort.

C'est moi qui ai eu peur.

J'ai pensé qu'elle allait mourir pendant l'opération. J'avais toujours aussi peur qu'elle meure, même quand elle allait chez le dentiste.

J'ai téléphoné à l'hôpital, je l'ai eue au bout du fil, tout s'était bien passé, elle était touchée que je l'aie appelée.

Après son opération, elle a remarché très vite, plus vite que les autres.

La curiosité restera une des qualités principales de ma mère. Elle adorait voyager, elle voyageait avec des Arrageois et l'abbé Bellot, un gros curé d'un quintal, très spirituel. Il organisait à moindre prix des voyages exceptionnels dont elle rentrait toujours enchantée.

Elle nous parlait avec passion des pays qu'elle avait visités et écrivait ses récits de voyage qu'elle illustrait avec des photos.

Elle enregistrait les bonnes émissions à la télévision, et les grands films.

Je me souviens, pour son départ à la retraite de la préfecture, elle avait choisi comme cadeau une guitare. À plus de soixante ans, elle avait décidé d'apprendre la guitare. Elle avait pris des leçons. Elle avait dû commencer par l'*Étude en si mineur* de Fernando Sor, mais on n'aura jamais eu droit à la musique de *Jeux interdits*. L'arthrose, qui lui avait déjà rongé deux hanches, avait commencé à s'occuper de ses mains. Elle avait dû arrêter.

Heureusement, ses doigts, désormais incapables

de jouer des fugues, pouvaient encore tourner les pages des livres.

Elle continuait de chercher à essayer de comprendre le monde.

Le feu de sa curiosité couvait toujours, à tout instant la flamme était prête à se rallumer, pour nous éclairer.

«Elle m'a acheté mon premier poste de radio. Elle avait la télévision en couleurs et un magnétoscope qu'elle savait programmer.»

Denis, son petit-fils.

«En fait, elle était terriblement moderne, comme si elle avait attendu toute sa vie l'époque dans laquelle elle a vécu ses dernières années.»

Benoît, son petit-fils.

À la fin de sa vie, ma mère avait les mains qui tremblaient. Elle essayait, par coquetterie, de le dissimuler en les cachant.

Je me souviens de les avoir regardées avec émotion. J'ai pensé à tout ce que ces mains avaient fait. Elles avaient écrit, elles avaient dessiné, elles avaient joué du piano, elles nous avaient lavés, elles nous avaient coiffés, elles avaient ressemelé nos chaussures, elles avaient épluché des tonnes de pommes de terre, elles avaient tourné des milliers de pages de livres.

La main gauche portait toujours sa bague de fiançailles, une bague simple avec un beau diamant, que, finalement, elle n'avait pas réussi à perdre.

Quand j'avais annoncé à ma mère que j'allais écrire un livre sur mon père et que j'allais l'intituler «Papa, tue pas maman», elle avait souri. Une semaine plus tard, j'avais reçu une lettre. Elle me demandait de renoncer à mon projet, ce n'était pas la peine de remuer le passé, elle avait peur que ce soit un règlement de comptes. Elle était entrée dans la phase de canonisation de mon père. Elle avait trouvé une explication à son alcoolisme. Il était trop sensible, il buvait parce qu'il ne supportait pas la souffrance de ses clients.

Une fois encore, je lui ai désobéi. J'ai écrit le livre, il s'appelait *Il a jamais tué personne, mon papa.*

Elle a lu les épreuves pendant un séjour dans notre maison d'Uzès. Elle avait beaucoup pleuré, elle a simplement dit: «Tu as été gentil avec lui.»

Elle est morte six mois avant sa sortie.

Je reçois une belle enveloppe avec des armes gravées.

C'est la lettre d'une baronne, une amie de ma mère. Le papier est vélin, l'encre violette et l'écriture élégante. La baronne a appris la mort de ma mère et la sortie de mon livre sur mon père. Elle s'indigne que j'aie pu livrer en pâture la vie de ma famille. La mort de ma mère semble la laisser froide.

Elle parle de ma mère avec qui elle est allée en classe, elle ne tarit pas d'éloges, allant jusqu'à écrire que ma mère était plus intelligente qu'elle. Elle parle aussi de notre père en termes chaleureux. Elle évoque le mariage de nos parents et rend grâce au chanoine Deseille qui en a été l'instigateur. Ensuite, elle parle des ennuis de ma mère. Pour elle, le seul véritable drame qu'elle a vécu, c'est ma conduite et ma mise à la porte de l'institution Saint-Joseph. Pas un mot sur l'alcoolisme de notre père et les souffrances de notre mère. Pas un mot non plus de condoléances pour moi qui viens de perdre ma mère. Simplement une injonction : ne pas publier sa lettre.

La signature est très grande, avec des ramages et des plumages. Elle a dû prendre une plume de paonne pour écrire sa lettre, la baronne.

Petit, chaque fois que j'écrivais quelque chose ou faisais un dessin, j'avais besoin de le montrer à ma mère pour savoir si c'était bien. Il me fallait son imprimatur.

Qu'est-ce qu'elle penserait aujourd'hui de ce que je suis en train d'écrire sur elle ?

Comment va-t-elle réagir d'être enfermée dans un livre, dans une bibliothèque, à côté de son mari, de ses belles-filles, de ses petits-fils Mathieu et Thomas, de sa petite-fille Marie ?

Ne va-t-elle pas être choquée que j'aie invité des étrangers dans la maison de la rue de la Paix, alors que, peut-être, le ménage n'était pas fait ?

Je n'ai jamais aimé l'expression « il faut laver son linge sale en famille ». D'abord, pourquoi parler de linge sale ? Je pense aux draps qui sèchent au soleil dans les prés et au linge exposé dans les villages d'Italie, qui bat aux fenêtres comme des drapeaux. Je préfère la lumière à l'ombre.

J'imagine que ma mère, professeur de lettres, corrige les épreuves de *Ma mère du Nord*. Quelle note va-t-elle me mettre ?

Je suis inquiet, peut-être qu'elle ne va pas l'aimer. Elle doit en avoir assez qu'on parle de son mari alcoolique. Ne pas avoir envie qu'on parle d'elle, la discrète, la réservée, de ses maladies imaginaires, de sa tristesse. Elle va trouver que j'exagère. Et se dire que, finalement, pour une mère, ce n'est pas un cadeau d'avoir un fils écrivain.

Ne va-t-elle pas me reprocher de l'avoir canonisée ? Va-t-elle savoir lire entre les lignes, comprendre que ce livre est une déclaration d'amour, que j'essaie de me rattraper, moi qui ne lui ai jamais dit que je l'aimais, sauf dans les compliments de la fête des Mères dictés par la maîtresse ?

Comprendre que je l'ai écrit pour la faire revivre.

Parce qu'elle me manque.

J'ai passé avec ma mère la dernière semaine de sa vie.

J'étais venu tourner un documentaire sur les Sang et Or, les supporters de l'équipe de foot de Lens, je logeais chez elle, à Arras.

Elle ne se sentait pas très bien.

Je lui ai conseillé de voir son médecin, il est venu, il l'a rassurée.

Elle continuait à ne pas aller très bien.

Le soir, je dînais avec elle, je me souviens d'avoir fait une remarque sur le fromage que je trouvais quelconque. Je lui ai signalé qu'elle avait un très bon marchand près de chez elle. « Oui, mais il est très cher. »

J'ai compris qu'elle voulait encore faire des économies. Pas pour elle. Pour nous, ses enfants, ses petits-enfants.

Elle se refusait des menus plaisirs, elle pensait encore à nous, à ce qu'elle allait nous laisser. J'ai essayé de la convaincre que nous n'avions pas besoin de son argent, qu'au contraire nous souhaitions qu'elle en profite. Elle s'était suffisamment sacrifiée toute sa vie pour nous.

Mon tournage était terminé, je suis rentré à Paris.

Je l'ai appelée au téléphone, je lui ai dit que nous avions l'intention de lui offrir un téléphone portable. En raccrochant, elle m'a dit : « J'ai des bons enfants. »

Ce furent, pour moi, ses dernières paroles. Elle est morte subitement trois jours plus tard.

On allait faire l'économie du téléphone portable.

Quand mon beau-frère m'a prévenu, j'ai demandé si elle avait souffert.

Elle n'avait pas souffert.

C'était nous qui allions souffrir.

« J'aimais beaucoup Glagla, je me réjouissais quand elle venait à la maison. Son départ m'a rendu bien triste. »

François, son petit-fils.

« Quand tu es partie, je me suis dit que jamais de ma vie je ne serais aussi triste. Bien sûr je me trompais, mais j'aurais bien aimé que tu restes un peu plus... »

Camille, sa petite-fille.

Ma mère est morte à quatre-vingt-deux ans.

Est-ce qu'elle regrettera d'être venue ?

Malgré les tracas, les tourmentes d'une vie diffi-cile, les nombreux avis de tempête, les dépressions, les divagations de son bateau ivre, elle a réussi une belle famille, unie.

De jour en jour, seule et sûre d'elle, elle a «fait avec» les contrariétés de la vie.

Si elle a été souvent triste, ce n'était pas par voca-tion. Elle avait la joie de vivre, mais vivre ne lui a pas toujours donné la joie de vivre.

Toute sa vie, elle a gardé le goût du bonheur. Elle a su se faire consoler par les bienfaiteurs de l'hu-manité, les musiciens, les peintres, les écrivains, les philosophes…

Un de ses livres de chevet était *Propos sur le bon-heur*, d'Alain.

Elle en avait souligné au crayon des passages :

«Ce qu'on peut faire de mieux pour ceux qui nous aiment, c'est encore d'être heureux.»

A-t-elle réussi ?

Suivant ses vœux, elle a été incinérée.

Sa crémation a eu lieu à Vendin-le-Vieil, à une dizaine de kilomètres de Lens, avec, en fond sonore, l'*Adagio* d'Albinoni.

Un responsable avec un gros ventre et une tête d'enterrement s'est cru obligé, pour plomber l'ambiance, de nous lire quelques pages de Martin Gray et de nous adresser ses condoléances d'une voix mourante. Ensuite, il nous a proposé de choisir dans le jardin du souvenir un endroit sympathique pour déposer les cendres. En sortant, on a pu voir une grosse fumée noire qui sortait d'une cheminée de brique. C'était notre mère qui partait au ciel, enfin libre.

Le jardin du souvenir, c'était un terrain vague avec un immense cratère, comme après le crash d'un avion. Il était rempli de bouquets de fleurs pourries et de petits tas qui ressemblaient à de la litière pour chat, c'étaient les cendres des chers disparus.

Il n'y avait pas de fleurs des champs et, ce jour-là, les oiseaux ne chantaient pas.

J'aurais préféré qu'on la jette dans la mer du Nord.

Elle semble sortir de la mer.

Sa silhouette est fine et élégante, sa robe est légère et blanche. On dirait qu'elle marche sur l'eau. Elle est en même temps dans la mer et dans le ciel.

Avec le temps, la photo a pâli. Les noirs sont devenus gris, les gris sont devenus blancs, elle est en train de s'effacer.

Toujours discrète, ma mère n'impressionne plus la pellicule.

Ma mère dans la mer du Nord.

Mer calme,
plus d'avis de vent fort en cours
ni prévu

Grammaire française et impertinente, Payot, 1992
Arithmétique appliquée et impertinente, Payot, 1993
Peinture à l'huile et au vinaigre, Payot, 1994
Le pense-bêtes de saint François d'Assise, Payot, 1994
Le C.V. de Dieu, Seuil, 1995 ; nouvelle édition, Stock, 2008
Le pain des Français, Seuil, 1996
Sciences naturelles et impertinentes, Payot, 1996
Je vais t'apprendre la politesse, Payot, 1998
Il a jamais tué personne, mon papa, Stock, 1999
La Noiraude, Stock, 1999
Roulez jeunesse, Payot, 2000
Encore la Noiraude, Stock, 2000
J'irai pas en enfer, Stock, 2001
Pas folle la Noiraude, Stock, 2001
Mouchons nos morveux, Lattès, 2002
Le petit Meaulnes, Stock, 2003
Antivol, l'oiseau qui a le vertige, Stock, 2003
Les mots des riches, les mots des pauvres, Anne Carrière, 2004
Satané Dieu !, Stock, 2005
Mon dernier cheveu noir, Anne Carrière, 2006
Organismes gentiment modifiés, Payot, 2006
À ma dernière cigarette, Hoëbeke, 2007
Histoires pour distraire ma psy, Anne Carrière, 2007
Où on va, papa ?, Stock, 2008
Poète et paysan, Stock, 2010

Veuf, Stock, 2011
Ça m'agace, Anne Carrière, 2012
La Servante du Seigneur, Stock, 2013
Trop, La Différence, 2014
*Manuel impertinent : Grammaire, Arithmétique,
Sciences naturelles*, Payot, 2014
Bonheur à gogos !, Payot, 2016

Le Livre de Poche s'engage pour
l'environnement en réduisant
l'empreinte carbone de ses livres.
Celle de cet exemplaire est de :
250 g éq. CO_2
Rendez-vous sur
www.livredepoche-durable.fr

PAPIER À BASE DE
FIBRES CERTIFIÉES

Composition réalisée par MAURY-IMPRIMEUR

Achevé d'imprimer en novembre 2016 en Espagne par
CPI

Dépôt légal 1ʳᵉ publication : janvier 2017
LIBRAIRIE GÉNÉRALE FRANÇAISE
21, rue du Montparnasse – 75298 Paris Cedex 06

27/4618/7